Les Éditions du Boréal
4447, rue Saint-Denis
Montréal (Québec) H2J 2L2
www.editionsboreal.qc.ca

Comment se débarrasser du diabète de type 2 sans chirurgie ni médicament

DU MÊME AUTEUR

Au bout du pétrole. Tout ce que vous devez savoir sur la crise énergétique, Éditions MultiMondes, 2008.

L'avenir du Québec passe par l'indépendance énergétique, Éditions MultiMondes, 2009.

La Révolution des gaz de schiste, Éditions MultiMondes, 2010.

Le Défi des ressources minières, Éditions MultiMondes, 2012.

Maîtriser notre avenir énergétique. Pour le bénéfice économique, environnemental et social de tous (avec Roger Lanoue), Rapport de la Commission sur les enjeux énergétiques du Québec, Gouvernement du Québec, 2014.

Normand Mousseau

Comment se débarrasser du diabète de type 2 sans chirurgie ni médicament

préface du Dr François Reeves

Boréal

Dépôt légal : 1er trimestre 2016
Bibliothèque et Archives nationales du Québec

Diffusion au Canada : Dimedia
Diffusion et distribution en Europe : Volumen

ISBN PAPIER 978-2-7646-2420-3
ISBN PDF 978-2-7646-3420-2
ISBN EPUB 978-2-7646-4420-1

Se débarrasser du diabète

Préface du Dr François Reeves, cardiologue

Constat troublant dans notre monde industriel : le nombre de diabétiques aux États-Unis a triplé entre 1985 et 2005, passant de 5 à 15 millions. Pendant la même période, au Canada, on est passé de 700 000 à 1,5 million de malades. On aurait pu croire qu'avec les campagnes de sensibilisation et les traitements modernes, on aurait pu juguler cette croissance. Au contraire, le nombre de diabétiques américains est aujourd'hui de près de 30 millions.

Une hausse de 600 % en une génération.

Les coûts en santé ? Effarants : 245 milliards de dollars en 2013, contre 174 en 2007, soit une hausse de 41 % en cinq ans. On insiste pour faire du dépistage, car jusqu'à 20 % des diabétiques ne sont pas connus, d'où une forte augmentation des soins et des coûts à prévoir.

Chez 85 % des adultes touchés, le diabète est tout simplement dû au surpoids. Notre pancréas est programmé pour produire de l'insuline en fonction de notre poids idéal. Dépassons ce poids, et le pancréas ne suffit plus à la tâche, l'insuline est débordée et la concentration de sucre sanguin, la glycémie, s'élève. Autrement dit, s'il n'y avait pas d'obésité, il y aurait 4 millions de diabétiques aux États-Unis en 2015, au lieu de 30 millions. Les gènes n'expliquent pas tout !

Au Canada, on estime que 10 % des coûts de santé sont directement liés à l'obésité, dont les complications apparaissent dès l'enfance. Cette estimation ne tient pas compte des coûts des soins ni, surtout, des souffrances liés au diabète. Le diabète va bloquer nos artères, causant des infarctus, des paralysies, de douloureuses névrites, compromettre la fonction rénale ou conduire à la cécité. Pour le cardiologue, parmi tous les facteurs de risque, le diabète est le pire agresseur des artères.

L'obésité est toujours croissante en Amérique du Nord et frappe maintenant de plein fouet les pays émergents. Le nombre d'obèses dans le monde dépasse le nombre de sous-alimentés. Nous tombons de Charybde en Scylla. Est-il possible de trouver un juste milieu, d'éviter l'excès en voulant pallier la carence ?

Le respect d'autrui est essentiel dans une société évoluée, mais la banalisation sociale de l'obésité est un obstacle redoutable. Ce désir légitime de respect entraîne une dérive et nous fait mettre dans la même rubrique couleur de peau, orientation sexuelle et excès de poids. On en est à parler de l'acceptation de la différence *en ce qui concerne les obèses, et on étend les services proposés à cette clientèle toujours croissante : boutiques « tailles fortes », sièges d'avion élargis (là, personne ne se plaindra), soutiens-gorge quadruple D, etc.*

Respect, fatalisme ou nouvelles occasions d'affaires ?

*On peut et on doit respecter la personne tout en combattant la maladie. Il est regrettable d'entendre parler d'*obsession de la minceur *et de* canons de beauté tyranniques, *et de mettre dans le même sac anorexie, boulimie et obésité, dont les déterminants sont totalement différents. C'est négliger et banaliser un énorme problème plus sociétal que médical.*

L'autre stigmate est la composante environnementale sous-estimée de l'obésité et du diabète. La médecine américaine, qui assure depuis un siècle un leadership mondial de par sa rigueur et ses succès, insiste sur le fait que seul l'individu est responsable de sa qualité de vie. Les déterminants essentiels de notre santé sont les gènes et les habitudes de vie.

Cette vérité maintes fois établie ne fait aucun doute, mais l'environnement, le milieu où on vit, est très sous-estimé, voire négligé dans la vision médicale américaine. Pour preuve, si on consulte l'index de Braunwald's Heart Disease, *la bible mondiale des cardiologues, un pavé de 2 000 pages écrit en petits caractères, le mot* environnement *n'y figure tout simplement pas.*

Lorsqu'on aborde le problème du poids, les patients répondent souvent : « Mais je fais comme tout le monde ! » Autrefois, le jeune docteur que j'étais se disait : « Ouais, ouais. »

Aujourd'hui, je les crois.

En effet, il est maintenant incontestable qu'une personne donnée sera complètement différente selon qu'elle a grandi au Mississippi, au Japon ou en Suisse. Lisez Coca-Cola, l'enquête interdite *et* Toxic[1], *de William Reymond. Ce Français*

---

1. William Reymond, *Coca-Cola. L'enquête interdite*, Paris, Flammarion, 2006 ; *Toxic. Obésité, malbouffe, maladies : enquête sur les vrais coupables*, Paris, Flammarion, 2007.

partageant sa vie entre Las Vegas et Paris fait un constat sans appel : son poids change inévitablement selon l'endroit où il est ; il engraisse aux États-Unis et maigrit en France.

Le vocabulaire courant des Américains est assez pittoresque. On entend souvent la devise suivante : « Bigger is better ». Lorsqu'ils expriment de la tendresse, ils s'exclament : « Oh, Sugar ! » ; « Yes, Honey ». Et le comble, pour un cardiologue : « Sweetheart » ! Aux États-Unis, l'amour des proches passe par le sucre.

La nourriture américaine est bourrée de sucre industriel. Partout, du sucre, du sucre et encore du sucre, en quantité astronomique. Et il n'y a pas que le fast food. Quarante pour cent des aliments industriels (processed food) vendus à l'épicerie contiennent du sirop de glucose-fructose, dont les sodas, effarantes potions à diabète.

En 1982, l'administration Reagan a réduit d'un milliard de dollars les fonds affectés à la restauration scolaire et chargé l'USDA (le département de l'Agriculture) de trouver des solutions pour respecter les exigences nutritionnelles malgré cette coupe budgétaire. Le secrétaire à l'Agriculture a proposé de classer le ketchup et la relish parmi les légumes afin de réaliser des économies sur les menus des cantines… Depuis qu'un vote du Congrès américain à majorité républicaine a bloqué, en 2011, une réforme de l'administration Obama visant à améliorer les menus scolaires, même la pizza est considérée comme un légume !

Par ailleurs, on se rend compte aujourd'hui que les polluants atmosphériques émis par les combustibles fossiles sont en cause dans l'apparition du diabète et de l'obésité. Une fois inhalés, ces polluants induisent une réaction inflammatoire systémique qui entraîne plusieurs dérèglements *métaboliques, dont la résistance à l'insuline et la hausse du mauvais cholestérol.*

À la recherche d'une solution

Je connais Normand Mousseau depuis quelques années. Nous avons fait connaissance lors d'une discussion sur la cause environnementale, le physicien et le cardiologue échangeant leurs vues sur le fléau des combustibles fossiles. Un cerveau exceptionnel, un scientifique aux multiples tâches et activités, mais surtout une brillante intelligence qui sait prendre des problèmes complexes et les rendre parfaitement clairs, tant et si bien que les solutions s'imposent d'elles-mêmes.

Un personnage imposant, non seulement par son acuité mentale mais aussi par sa masse corporelle. Ensemble, nous avions l'air d'Astérix et Obélix.

Plus maintenant… Aujourd'hui, c'est plutôt Astérix et Tragicomix.

En effet, lors du Sommet des Amériques sur le climat, qui a eu lieu à Toronto en juillet 2015, j'ai eu de la difficulté à reconnaître Normand tant il s'était aminci et métamorphosé. J'ai attendu un bon quart d'heure avant de me décider à le saluer. Comme nous sommes assez proches, j'ai fini par le féliciter chaudement de sa réussite. En effet, seulement 5 % des obèses adultes retrouvent un poids normal, quelle que soit la méthode employée. Seule exception : la chirurgie bariatrique, dont le taux de succès dépasse les 50 %. Cette solution draconienne est peu répandue et non sans risques de complications.

À force de côtoyer Normand au cours de ce colloque, je lui ai demandé, animé par une curiosité toute médicale, quelle était sa recette. À vrai dire, je pensais qu'il avait eu une chirurgie de l'estomac. Nenni.

Le diagnostic de diabète qu'il avait reçu deux ans plus tôt l'avait complètement terrorisé, car sa vaste culture lui avait rapidement permis de comprendre les effets terribles que cette maladie aurait sur sa vie. Il avait tout lu sur le sujet. Et comme il sait faire des synthèses impressionnantes, même dans des domaines complexes en dehors de son champ d'expertise, il avait décidé de ne pas se fier uniquement aux conseils et aux prescriptions de son médecin. Et de ne pas croire ce dernier quand il disait que son état de santé était irrémédiable, au propre comme au figuré.

Cet ouvrage explique sa démarche et bien plus encore. Tout diabétique apprendra beaucoup sur les causes du diabète, le contrôle de la glycémie, les médicaments ainsi que les complications, l'évolution et surtout la prévention de cette maladie.

Nous sommes dans l'ère du patient partenaire. Fini le docteur souverain et la toute-puissance du complexe médico-industriel, qui propose de nouvelles pilules pour tout problème. Normand Mousseau a démontré qu'il est possible de faire équipe, de se traiter soi-même, de prendre part activement à l'amélioration de son état de santé. Plus encore, qu'il est possible de se passer d'un médecin.

Aujourd'hui, son diabète a disparu.

Cet ouvrage est un espoir lumineux pour les millions de diabétiques. Rappelons-nous : les diabétiques étaient six fois moins nombreux il y a trente ans. Alors pourquoi ne pas remonter le temps ?

Avant-propos

— Il n'y a pas d'urgence, mais j'aimerais vous rencontrer le plus tôt possible.

Même dite d'une voix calme et posée, cette demande, faite par téléphone, n'avait rien de rassurant. J'étais passé par la clinique quelques jours plus tôt pour une infection qui refusait de guérir. Le médecin m'avait alors fait une ordonnance pour un onguent et un bain, me demandant également de passer quelques tests de laboratoire. J'avais quarante-six ans, et ce n'était que mon deuxième examen médical complet depuis que j'avais atteint l'âge adulte. Le premier avait eu lieu six ans plus tôt en réponse à une exigence du gouvernement français pour m'accorder un visa de travail comme professeur et chercheur invité. Tout allait bien alors, même si le médecin attitré à l'immigration m'avait recommandé de perdre du poids, considérant que ma glycémie, bien que dans les limites de la normale, était un peu élevée.

Malgré tout, l'appel de mon médecin ne m'avait pas inquiété outre mesure. J'avais l'impression d'avoir adopté un mode de vie santé, marchant régulièrement de mon travail à la maison, un trajet d'un peu plus de trois kilomètres, faisant de la bicyclette à l'occasion et évitant, autant que possible, l'utilisation de mon automobile. Je ne pouvais m'empêcher, tout de même, de me dire qu'il était rare, aujourd'hui, de recevoir un appel personnel de son médecin et qu'il devait y avoir quelque chose de grave. J'ai donc accepté l'offre de le revoir rapidement, m'insérant entre deux rendez-vous le lendemain.

— Vous êtes diabétique. Votre glycémie est de 14,5[1].

Ce chiffre ne signifiait rien pour moi. Il a fallu que mon médecin, un homme approchant de la soixantaine, mince, faisant cinq pieds huit pouces, aux cheveux blancs et à la voix emphatique, m'explique que la valeur normale à jeun se situait entre 4 et 6 mmol/l.

Cela voulait donc dire que j'étais malade, vraiment malade. Et je ne le savais même pas ! Comment était-ce possible ?

Comme j'allais le découvrir au fil de mes lectures, cette discrétion est une des particularités du diabète ; les symptômes de ce désordre du pancréas peuvent prendre de nombreuses années avant de se faire sentir.

Pourtant, l'annonce de ma maladie n'aurait pas dû être un choc. J'ai pesé de 200 à 245 livres pendant près de vingt ans. C'est beaucoup quand on a peu de muscles et qu'on ne mesure que cinq pieds onze pouces. De plus, le diabète est très présent dans ma famille : ma grand-mère, ma mère, ma tante, ma sœur et mon frère sont tous diabétiques et sous médication.

---

1. En mmol/l. Comme plusieurs unités sont utilisées pour mesurer la glycémie, une table de conversion figure à l'annexe 4.

Mais moi, j'étais différent, non? Durant la dernière décennie, j'avais fait des efforts pour perdre du poids, faire de l'exercice et demeurer actif. Jusqu'à un certain point, bien sûr...

— Commencez par 500 milligrammes de metformine deux fois par jour. Vous devriez aussi vous procurer un glucomètre; votre pharmacien vous montrera comment l'utiliser. Cet appareil vous permettra de suivre votre glycémie et de mieux la maîtriser. Il vous faudrait également commencer à faire de l'exercice, 180 minutes par semaine, et adopter une meilleure alimentation. Pour vous aider, vous pouvez rencontrer la nutritionniste de la clinique. Entretemps, suivez le *Guide alimentaire canadien.* Pour le reste, je vous conseille de jeter un coup d'œil à Internet, vous y trouverez pas mal d'information. Une fois votre glycémie réduite, votre infection devrait disparaître. Revenez dans deux mois, on ajustera alors votre médication et on décidera si on vous donne également des statines pour votre cœur.

Toute cette information résonnait dans ma tête. Je pouvais comprendre la plupart des mots, mais je n'étais pas vraiment certain de ce que tout cela signifiait.

— Et si je change mon train de vie, si je fais de l'exercice, si je mange mieux, je pourrai guérir?

Cette histoire de diabète n'était peut-être qu'un avertissement me poussant à me prendre en charge. Avec un peu d'effort, je pourrais certainement revenir à mon état normal.

— Grâce aux médicaments et à ces changements, vous pourrez maîtriser votre maladie. Cependant, on ne guérit pas du diabète; c'est une maladie chronique dont vous souffrirez pour le restant de vos jours.

Le restant de mes jours. Voilà qui n'était guère rassurant. Étonnamment, je n'avais jamais compris que le diabète est une maladie chronique pour laquelle il n'existe aucune cure. Diabétique un jour, diabétique toujours, à tout le moins selon la position officielle du monde médical.

Pourquoi est-ce que je n'avais pas compris ça, alors que tant de gens que j'aime, de gens de ma famille, sont atteints de cette maladie ? Je n'avais jamais été intrigué par celle-ci. Pour moi, il suffisait de faire un peu attention à son poids et à ce qu'on mange pour ne pas être affecté.

La réalité est bien plus dure. Le diabète est une maladie dégénérative dont les conséquences peuvent être mortelles. Il doit être pris très au sérieux.

En ce matin du mardi 7 mai 2013, je rejoignais le groupe grandissant des diabétiques du monde entier, ajoutant mon nom à une liste qui compte 2,5 millions de Canadiens, 22 millions d'Américains, 2,9 millions de Français et 3,2 millions de Britanniques qui ont reçu le diagnostic et qui, chacun à leur façon, doivent apprendre à vivre avec cette terrible maladie responsable d'un nombre important de cas de cécité, d'amputation, de maladie du rein et d'arrêt cardiaque. De ce nombre, environ 10 % souffrent du diabète de type 1, qui frappe généralement tôt dans la vie et qui est caractérisé par une incapacité à produire de l'insuline ; l'essentiel des autres malades sont atteints du diabète de type 2, le sujet de ce livre.

Ce jour a aussi été celui où j'ai dû faire face à la réalité de la mort : à quarante-six ans, celle-ci s'approchait de moi de manière inexorable. Jusqu'alors, bien que j'aie été conscient d'approcher de la cinquantaine, je comptais vivre bien au-delà de quatre-vingts ans, et j'organisais ma vie en conséquence. La découverte de mon diabète changeait la donne. Mon plan de vie n'était peut-être plus réaliste : après tout, l'espérance de vie d'un diabétique est inférieure de neuf ans à celle du citoyen moyen. Près du quart des années qu'il aurait dû me rester à vivre partaient ainsi en fumée. Et je devais m'attendre à ne pas aussi bien profiter de celles qui me restaient, car le diabète diminue aussi grandement la qualité de vie.

Lorsque je suis rentré à la maison, après ma journée de travail, j'étais complètement bouleversé. Tout changeait soudainement : mon avenir, ma vie, mes plans. Que me restait-il à faire ?

Les mêmes questions tournaient sans cesse dans mon esprit. Comment réagir ? Comment continuer ? Comment traiter avec cette maladie ? Devrais-je l'accepter ? La combattre ? L'ignorer ? Est-ce que ça changerait quelque chose ?

Le diabète n'est tout de même pas un diagnostic de mort rapide. On peut le maîtriser et composer avec lui tout en conservant une vie normale. J'ai donc décidé d'appliquer le programme suggéré par mon nouveau médecin de famille : faire attention à ce que je mange et à quand je mange, perdre du poids et faire de l'exercice – dans mon cas, m'adonner à la course trois ou quatre fois par semaine, durant quarante-cinq minutes. Malgré ces efforts, chaque prise de glycémie était une surprise : mes résultats dépendaient fortement de ce que j'avais fait la veille. Grâce à ma médication, qui avait été portée à 850 milligrammes de metformine deux fois par jour à la fin de juin 2013, je pouvais toutefois me maintenir à une valeur oscillant entre 5 et 6 mmol/l le matin et avant les repas, et autour de 8 mmol/l après, à l'intérieur de paramètres dits normaux. Cela dit, il me suffisait de ne pas bouger durant quelques jours ou d'oublier une pilule pour que mon niveau de sucre bondisse.

En avril 2014, onze mois après mon diagnostic, j'avais perdu un peu plus de 30 livres et me maintenais autour de 190 livres, un poids qui me ramenait vingt ans en arrière. Ce n'était pas trop mal, considérant que j'avais passé les trois derniers mois à Paris, soumis à de nombreuses tentations !

Pourtant, le pronostic fatal de mon médecin continuait de me hanter. Peu importe ce que je ferais, ma maladie continuerait de progresser, sans appel. J'étais condamné à passer le reste de ma vie à surveiller les aliments que je mangeais et à prendre des médicaments tout en sachant qu'un jour ou l'autre je perdrais la maîtrise de ma maladie. J'avais consacré ma première année de diabétique à m'habituer à mon mal et à me reprendre en main. À l'approche du premier anniversaire de mon diagnostic, il était temps de passer à l'étape suivante : trouver une voie de guérison !

Est-ce à cause de la frustration d'avoir dû refuser toute cette nourriture alors que je m'apprêtais à quitter la Ville lumière ou tout simplement parce que j'avais eu le temps d'absorber et d'accepter mon état ? Je n'en suis pas certain, mais c'est durant cette période que j'ai senti l'envie de retourner sur Internet et de me remettre à la recherche de pistes m'indiquant comment vaincre mon diabète.

Si vous l'avez fait vous-même, vous savez ce que j'ai trouvé : un grand nombre de sites promettant la guérison à condition de se limiter à une alimentation bien précise, biologique, végétarienne ou *vegan*, ou de s'empiffrer d'une vitamine particulière ou de thé vert ! Malheureusement, ces approches ne sont étayées par aucune étude médicale, et la plupart semblent plutôt viser le portefeuille du malade que son pancréas. Les vidéos et les suppléments alimentaires proposés sont-ils essentiels à la guérison... ou à la fortune de ceux qui en font la promotion ?

Je pourrais bien sûr passer en revue les dizaines de régimes, de vitamines et de traitements bidon que j'ai examinés durant ma première année de diabète, mais ça ne servirait à rien. Dans bien des cas, heureusement, ces traitements ne semblent pas nocifs. On peut donc les suivre sans risque pour la santé. Par contre, la vaste majorité réussit, au mieux, à faciliter la maîtrise de la glycémie, en poussant un peu plus loin les recommandations standard des associations de diabète. Pour les autres, l'effet est complètement nul et ne sert, selon moi, qu'à nous rassurer.

En tant que physicien et chercheur, j'ai rapidement abandonné ces sites, puisque la plupart d'entre eux n'avaient pas de fondements scientifiques, ne pouvaient améliorer ma santé de manière significative et n'apportaient aucune garantie quant à leur innocuité. Rien de tout cela ne semblait particulièrement tentant ou raisonnable. À l'évidence, aucune de ces approches ne s'appuyait sur les règles de l'art de la recherche médicale ou n'avait été testée correctement. Il n'était pas question que je risque de détériorer ma santé pour des promesses en l'air !

Toute cette frime me déprimait mais, malgré des pistes qui ne semblaient mener à rien, je continuais de m'accrocher, poursuivant mes recherches chaque fois que j'avais un moment. Il devait bien y avoir quelque part, au milieu de ces offres de charlatans, une voie crédible vers la guérison. J'avoue toutefois que je commençais à perdre espoir.

C'est alors que je suis tombé sur un article de Richard

Doughty paru dans le quotidien britannique *The Guardian.* Ce texte présentait le cas du journaliste lui-même. On avait diagnostiqué le diabète de type 2 chez lui, en dépit d'un poids tout à fait normal de 147 livres pour une taille de cinq pieds sept pouces. Après avoir perdu14 livres, il a décidé de suivre le programme élaboré par Roy Taylor. Au bout de onze jours d'une diète à très faible teneur en calories, grâce à laquelle il comptait atteindre sa cible de 125 livres, il a réussi à ramener sa glycémie à 5,1 mmol/l, la valeur normale à jeun, signe d'une rémission complète.

Cet article a éveillé un certain espoir en moi. Tout d'abord, *The Guardian* est un quotidien d'excellente réputation que je connais bien ; ensuite, le Roy Taylor mentionné dans l'article existe vraiment. C'est un chercheur comptant plusieurs années d'expérience sur le sujet et ayant publié de nombreux articles dans des revues crédibles et de qualité. Sans perdre un instant, j'ai donc récupéré directement les textes de Taylor, remontant à la source de l'information. Il m'était ainsi facile d'évaluer la validité des déclarations de Taylor. J'ai fouillé la littérature pour vérifier ses affirmations au sujet, notamment, des retombées de la chirurgie bariatrique.

À ma grande surprise, tout semblait parfaitement raisonnable et défendable : les résultats de Taylor sur un petit groupe de diabétiques étaient compatibles avec les nombreuses études décrivant les effets de la chirurgie bariatrique, études qui ne se concentrent pas spécifiquement sur cette maladie, comme je l'ai dit plus tôt, mais qui présentent de nombreuses données pertinentes. Si l'ensemble des hypothèses de Taylor n'était pas confirmé par la littérature, son travail semblait tout à fait crédible.

Mieux encore, l'hypothèse du professeur Taylor est d'une simplicité désarmante : il est possible, en suivant une diète hypocalorique très stricte, de ramener sa glycémie à la normale en quelques jours seulement, à tout le moins pour les patients récemment diagnostiqués. Il est même possible d'éliminer toute trace de diabète de type 2 chez une portion importante des personnes touchées si la diète est maintenue suffisamment longtemps et si le poids diminue, menant à la rémission ou à la guérison, selon le point de vue.

Voilà. Vous avez ici toute l'information nécessaire pour reprendre votre vie en main. Vous pouvez arrêter ici votre lecture, remettre ce livre sur sa tablette et appliquer dès maintenant la diète prescrite. C'est aussi simple que ça.

Bien sûr, il se peut aussi que vous souhaitiez comprendre un peu mieux l'origine de cette cure et comment elle est compatible avec nos connaissances les plus récentes sur le diabète. Vous voulez peut-être savoir si cette diète a fonctionné pour moi avant de la suivre vous-même (la réponse est oui !).

Les chapitres qui suivent présentent notre compréhension actuelle du diabète, ses symptômes, ses effets, les traitements traditionnels ainsi que les avancées chirurgicales à l'origine de la révolution conceptuelle proposée par un physiologiste britannique il y a quelques années. Alors qu'une première étude à grande échelle est en cours présentement au Royaume-Uni afin d'établir la validité de cette hypothèse, de nombreux résultats et évidences anecdotiques soutiennent déjà ses principes fondamentaux. Comme c'est souvent le cas en science, cette révolution a l'air presque évidente une fois qu'on en connaît la base. Ne vous y trompez pas. Il est très difficile de s'opposer à des décennies de tradition, et la cure du professeur Taylor n'est pas encore acceptée par l'ensemble de l'industrie du diabète, pour qui la situation actuelle comporte de nombreux avantages.

Si vous ne voulez pas attendre avant de commencer la cure, passez directement au chapitre 16, qui présente en détail les étapes à suivre. N'oubliez pas, toutefois, de revenir aux premiers chapitres une fois que vous aurez commencé votre diète et que vous en serez à votre troisième verre d'eau, afin de couper un peu votre faim temporaire. Il n'y a rien qui batte une bonne compréhension pour conserver la motivation dans les moments difficiles !

CHAPITRE 1

Je suis diabétique

La découverte de mon diabète a été un double choc. Bien sûr, je savais que j'étais plutôt enveloppé, mais j'avais l'impression que je mangeais relativement bien tout en menant une vie assez active, marchant une douzaine de kilomètres par semaine et faisant du vélo à Montréal pendant l'été. Comment avais-je pu devenir diabétique? Cette maladie était réservée aux autres, à ceux qui se préoccupent peu de leur corps, pas à moi!

J'étais aussi troublé par ma faible connaissance du diabète. J'ai un doctorat en physique, je travaille sur les maladies amyloïdes, qu'on associe souvent à la maladie d'Alzheimer et à la maladie de Parkinson, mais qui affectent également directement les diabétiques de type 2, et je suis un passionné de la vulgarisation scientifique, m'intéressant aux sujets les plus divers, allant du libre arbitre dans le monde moderne au boson de Higgs. Pourtant, hormis le fait que le sucre est mauvais pour le diabète, j'ignorais tout des éléments les plus fondamentaux de cette maladie.

Si on vient tout juste de diagnostiquer cette maladie chez vous, vous êtes peut-être aussi ignorant que je l'étais. Peut-être, tout comme moi, penserez-vous, dans un premier temps à tout le moins, qu'il est mieux de ne pas en apprendre davantage, en espérant que ce sera suffisant pour que la maladie disparaisse, comme par magie, enrobée dans un nuage d'ignorance. Vous pouvez également vous dire, au contraire, que si vous apprenez tout ce qu'il y a à savoir, vous serez en mesure de reprendre les rênes de votre vie.

Toutefois, ce n'est pas tout de comprendre : il faut agir sur cette connaissance et être prêt à changer notre mode de vie et nos habitudes aussi rapidement que possible. En effet, plus vite on change, plus il est facile de maîtriser le diabète et même, comme nous le verrons, de le vaincre.

C'est pourquoi je commence ce livre par une revue rapide de ce qu'est le diabète, reprenant certaines données qui vous sont probablement familières, mais qui vous prépareront pour l'examen plus détaillé de cette maladie, de son origine et de ses effets à long terme présenté à la section suivante.

Diabète de type 1, de type 2, de grossesse ou autre ?

Le mot *diabète* s'applique à plusieurs maladies fondamentalement différentes qui touchent le même organe, le pancréas. Ces maladies se traduisent par des effets similaires sur le reste du corps et commandent, généralement, des traitements qui se recoupent.

Le diabète de type 1, ou, comme on l'a longtemps appelé, le diabète sucré insulinodépendant, est souvent le résultat d'une réaction auto-immune qui détruit spécifiquement les cellules bêta, qui sont directement responsables de la production d'insuline. Cette réaction a généralement lieu chez les jeunes, même si elle peut se produire à tout moment de la vie. Alors que les cellules bêta sont attaquées et détruites, la production d'insuline diminue progressivement et de manière irréversible. Or, l'insuline est essentielle à notre corps pour lui permettre d'absorber l'énergie nécessaire à sa survie. Les diabétiques de type 1 doivent donc remplacer la production interne d'insuline par un apport extérieur.

L'origine du diabète de type 1 ainsi que les facteurs qui déclenchent la réaction auto-immune sont encore très mal connus. Cette maladie peut être causée par des facteurs externes tels que l'infection virale. Elle peut aussi être associée à des facteurs héréditaires touchant, par exemple, des antigènes des leucocytes humains, associés au système immunitaire. Ce n'est pas systématique, toutefois, et dans certains cas, qu'on regroupe sous le vocable *diabète idiopathique de type 1*, on ne trouve aucun signe d'anticorps spécifiques associés avec la mort des cellules bêta. Cela laisse les chercheurs sans indice quant à la nature du mécanisme qui est à l'origine de cette dégénérescence. Sans surprise vu la diversité des causes, la vitesse à laquelle la maladie se développe varie largement en fonction de sa nature, et va de très lente à foudroyante. Malgré l'évidence d'une origine au moins partiellement génétique, un jumeau identique, par exemple, n'a qu'une probabilité de 50 % d'avoir la maladie si sa sœur ou son frère en souffre, ce qui explique en partie pourquoi on n'a toujours pas identifié de marqueur génétique spécifique à cette maladie.

Le diabète de type 2 est une maladie dont l'origine est très différente. Il est vraisemblablement causé par une résistance à l'insuline qui conduit à l'hyperglycémie et qui provoque des effets similaires au diabète de type 1. Parce que l'insuline est moins facilement absorbée par l'organisme, les cellules bêta compensent d'abord en augmentant leur production dans le but de maîtriser la glycémie. Au fil du temps, elles deviennent de moins en moins en mesure de soutenir cette hyperactivité, et la glycémie augmente, menant à diverses complications pouvant être fatales.

Contrairement au diabète de type 1, cette maladie est due à un mélange de facteurs génétiques prédominants et de mauvaises habitudes de vie. L'histoire familiale permet donc de prédire assez précisément son apparition. Ainsi, le risque d'être atteint du diabète de type 2 est de presque 100 % chez les jumeaux monozygotes et d'environ 25 % chez un membre d'une famille ayant une histoire de diabète de type 2 (Olokoba *et al.*, 2012).

Les facteurs génétiques sont le plus souvent associés à une sensibilité à l'insuline qui est inférieure à la moyenne et qui conduit au surmenage des cellules bêta. Dans des conditions normales, cette sensibilité réduite peut être compensée par l'organisme durant la vie entière sans risque particulier pour la santé. Lorsqu'elle est couplée à une vie sédentaire et à l'obésité, deux conditions qui contribuent à diminuer encore plus la sensibilité à l'insuline, cependant, la prédisposition génétique est presque une assurance de graves problèmes à venir. Les cellules bêta, déjà surchargées par une sensibilité à l'insuline naturellement faible, ne peuvent alors répondre à la demande. Au fil du temps, sous la pression, elles meurent lentement, ce qui mène à l'hyperglycémie et au diabète de type 2. C'est pourquoi, historiquement, les premiers symptômes du diabète de type 2 avaient tendance à apparaître relativement tard dans la vie, généralement après quarante ans. Aujourd'hui, toutefois, vu la diminution constante de l'activité physique et l'augmentation de l'obésité chez les enfants, on observe régulièrement cette maladie chez des individus dans la vingtaine et la trentaine. Cette évolution laisse entrevoir une augmentation considérable du poids du diabète sur le système de santé au cours des prochaines décennies.

Le diabète de grossesse, quant à lui, est lié au diabète de type 2. Il touche les femmes non diabétiques qui présentent une hyperglycémie et une résistance à l'insuline supérieure à la normale pendant la grossesse. Puisque l'hyperglycémie peut affecter le fœtus et la mère pendant la grossesse, il est important de la traiter rapidement. Heureusement, le diabète de grossesse disparaît généralement après la naissance de l'enfant. Le risque de voir le diabète de type 2 se déclarer, en revanche, est nettement plus élevé chez les femmes qui ont souffert de diabète de grossesse. Cela suggère que celui-ci est un indicateur d'une certaine prédisposition au diabète de type 2. Pourtant, en raison de son caractère temporaire, il y a peu d'études qui visent directement cette affection, particulièrement en regard de l'immense quantité de données et de publications relatives aux diabètes de type 1 et de type 2.

Pris ensemble, le diabète de type 1, le diabète de grossesse et divers diabètes dits monogéniques (dont je n'ai pas parlé) représentent de 5 à 10 % des cas de diabète. Plus de 90 % des diabétiques sont donc touchés par le diabète de type 2. Cette proportion est encore plus grande lorsqu'on inclut les personnes prédiabétiques, qui ont déjà des niveaux de sucre dans le sang suffisamment élevés pour accroître de manière notable certains risques associés au diabète. Voilà pourquoi le diabète de type 2 fait l'objet de tant d'attention depuis les deux dernières décennies.

Comment reconnaître la maladie ?

Si on a diagnostiqué le diabète chez vous, vous connaissez vraisemblablement les symptômes classiques de cette maladie. Cette liste est accessible un peu partout sur Internet, ainsi que dans des brochures et des dépliants distribués par diverses associations de diabète. Les sites de l'Association canadienne du diabète et de l'American Diabetes Association[1], par exemple, fournissent la liste des symptômes les plus courants du diabète adulte.

- Soif inhabituelle
- Mictions fréquentes
- Changement de poids (gain ou perte)
- Fatigue extrême ou manque d'énergie
- Vision floue
- Infections fréquentes ou récurrentes
- Coupures et ecchymoses qui prennent du temps à guérir
- Picotements ou engourdissements dans les mains ou les pieds
- Difficulté à obtenir ou à maintenir une érection

---

1. Une liste plus complète des ressources en ligne est présentée à l'annexe 1. La plupart de ces sites présentent à peu près les mêmes renseignements. Vous pouvez donc vous en tenir à un ou deux sites que vous aimez particulièrement.

Plusieurs de ces symptômes sont connus depuis des siècles, car le diabète est apparu il y a très longtemps. Le mot *diabète* lui-même vient du terme grec qui signifie « siphon » et a été utilisé, au moins depuis le XVe siècle, pour toute affection associée à des mictions hors de l'ordinaire. Le nom complet de la maladie, *diabète sucré*, a été introduit vers 1860[2]. Il décrit un état associé à la présence d'un taux anormalement élevé de sucre dans l'urine et le sang. Le diabète sucré et ses symptômes caractérisent les diabètes de type 1 et de type 2, même si, comme on l'a vu, les causes de ces maladies sont différentes.

Le problème avec les symptômes énumérés plus haut, comme vous le savez sans doute déjà, est qu'ils peuvent facilement être négligés dans leur forme bénigne. Après tout, qu'est-ce qu'une soif inhabituelle ? J'avais pris l'habitude, par exemple, d'avoir toujours de l'eau sur ma table de chevet et de boire plusieurs fois pendant la nuit. Cependant, je n'avais jamais pensé que ce comportement était inhabituel ou symptomatique. Et puis, je n'avais pas besoin de me lever régulièrement la nuit pour uriner.

En rétrospective, il est probable que cette habitude était déjà une indication de la présence du diabète et un signal que quelque chose ne tournait pas rond. Si j'avais été plus alerte, ça aurait pu me pousser à consulter un médecin beaucoup plus tôt, mais nous avons tous nos bizarreries et

---

2. Afin de ne pas alourdir le texte, je laisserai tomber l'adjectif *sucré* dans le reste du livre, ainsi que la précision *type 2* lorsqu'il n'y aura pas de risque de confusion. En général, donc, le mot *diabète* employé seul renverra au diabète sucré de type 2.

nous avons tendance à négliger les changements dans nos habitudes parce qu'ils ne semblent pas importants ou parce que nous craignons qu'ils le soient.

Ma situation n'est pas unique. La plupart des personnes souffrant de diabète de type 2 manifestent certains de ces symptômes, mais ont tendance à les ignorer en raison de leur apparence bénigne. En moyenne, la maladie est présente depuis cinq à sept ans au moment du diagnostic et a déjà causé des dommages importants aux vaisseaux sanguins et à plusieurs organes. Si un traitement avait été appliqué durant cette période, on aurait pu soutenir le pancréas et soulager les cellules bêta à un stade où les effets n'auraient pas encore eu le temps de devenir permanents.

Le long délai entre l'éclosion de la maladie et l'apparition des symptômes ne constitue pas vraiment une excuse pour expliquer mon inaction. Après tout, un certain nombre de facteurs externes auraient dû déclencher un signal d'alarme et me pousser à vérifier mon niveau de sucre dans le sang.

En effet, s'il n'existe pas de signaux d'avertissement pour le diabète de type 1, ce n'est pas le cas pour le diabète de type 2, qui a une origine complexe mêlant des facteurs génétiques et héréditaires avec des composantes environnementales et comportementales. Le diabète de type 2 est donc une maladie à la fois physiologique et sociale qui peut être prédite avec un bon degré de certitude.

C'est pourquoi nous n'avons pas toujours besoin d'un médecin pour estimer notre risque de souffrir de cette maladie. Pour plusieurs d'entre nous, il suffit d'examiner notre environnement. Y a-t-il des gens de notre famille – parents, grands-parents, tantes, oncles, frères et sœurs, etc. – qui sont touchés ? Si tel est le cas, la probabilité que nous souffrions d'une résistance à l'insuline nous rendant sujets au diabète est élevée.

Il ne suffit pas de regarder autour de nous ; il est également nécessaire de jeter un coup d'œil à notre mode de vie. Souffrons-nous d'obésité ou d'embonpoint ? Sommes-nous physiquement inactifs ? Ces deux facteurs contribuent de manière importante à l'apparition du diabète. Les probabilités d'être atteints de cette maladie augmentent rapidement si nous avons un mode de vie sédentaire ainsi qu'un excès de graisse, particulièrement dans la région de l'abdomen. Cela dit, les personnes minces ou maigres peuvent aussi avoir le diabète, possiblement en raison d'une hypersensibilité à la graisse couplée à une très faible capacité des muscles à absorber l'insuline. Je reviendrai sur ce point important un peu plus loin.

Enfin, à quel groupe d'âge appartenons-nous ? Le diabète tend à apparaître après quarante ans, même si, comme on l'a dit, il frappe de plus en plus tôt, puisque les enfants d'aujourd'hui sont moins actifs et beaucoup plus susceptibles d'afficher un surpoids et d'acquérir une résistance à l'insuline.

L'importance de notre environnement ne peut être sous-estimée en ce qui touche le diabète. Bien que les facteurs héréditaires et sociaux soient formellement indépendants, nous sommes des animaux grégaires, et notre prédisposition à souffrir de cette maladie est en grande partie déterminée par notre entourage familial et social. En effet, si nos parents biologiques sont responsables de nos gènes, notre environnement détermine largement notre mode de vie, nos habitudes alimentaires et notre relation avec l'activité physique et le sport. Bref, si les membres de notre famille ont une propension à souffrir du diabète, il est probable qu'outre les diverses prédispositions génétiques, les traditions et les coutumes familiales favorisent l'embonpoint et l'oisiveté. Cette influence multiforme explique pourquoi une maladie non transmissible comme le diabète de type 2 peut se développer sur un mode épidémique.

Cette influence explique également pourquoi il est important d'examiner votre famille ainsi que vos amis et vos cercles sociaux. Si le diabète est présent autour de vous, n'attendez pas l'arrivée des symptômes pour consulter, surtout si vous avez plus de quarante ans et même si vous pensez, comme je le faisais, que vous êtes plus maigre et plus actif que le reste de votre famille. C'est aussi simple que cela.

Le diagnostic

Le diabète est généralement diagnostiqué à la suite de mesures anormales de la glycémie (concentration de sucre ou de glucose dans le sang). Vous pouvez évaluer vous-même votre glycémie instantanée avec un glucomètre. Toutefois, parce que la quantité de sucre dans le sang varie énormément pendant la journée, en fonction des repas, de l'exercice, de l'alcool, etc., une mesure prise à un moment quelconque n'est pas toujours très utile. Voilà pourquoi les médecins utilisent des protocoles bien précis pour obtenir des données significatives pouvant être comparées à des valeurs de référence.

Ainsi, la glycémie à jeun, définie comme la proportion

de sucre dans le sang mesurée au moins douze heures après avoir mangé quelque chose, représente la valeur de base pour définir l'état de la maladie. Bien que ce test demande un peu de planification, il est simple à administrer, et les résultats sont obtenus rapidement. Au quotidien, on simplifie un peu la procédure : on se contente de prendre des mesures au lever ou avant les repas.

Un indicateur plus traditionnel est le niveau de tolérance au glucose, qui mesure essentiellement la capacité de l'organisme à réagir au moment de l'absorption rapide d'une grande quantité de sucre. Cette mesure est typiquement obtenue en suivant l'évolution du niveau de sucre dans le sang durant les deux heures qui suivent l'ingestion d'une solution contenant 75 grammes de glucose.

Le troisième indicateur standard est la mesure de l'hémoglobine glyquée, souvent abrégée : HbA_{1c} ou A_{1c}. Cette forme d'hémoglobine fournit des renseignements sur la glycémie moyenne de l'organisme, intégrée sur une période de deux ou trois mois.

Selon le *Guide des pratiques cliniques* de l'Association canadienne du diabète, qui s'aligne avec la plupart des associations nationales de diabétiques, le diabète de type 2 est diagnostiqué quand au moins une des conditions suivantes est remplie.

- Glycémie à jeun de 7 mmol/l ou plus
- Glycémie deux heures après un test de tolérance au glucose de 11,1 mmol/l ou plus
- Valeur de l'hémoglobine glyquée de 6,5 % ou plus
- Niveau de glucose dans le sang au-dessus de 11,1 mmol/l à tout moment de la journée

En principe, si votre glycémie à jeun est près de la limite inférieure, votre médecin a besoin d'un deuxième test pour confirmer le diagnostic de diabète de type 2. Pour la plupart des gens, cependant, au moment où le diabète est diagnostiqué, la glycémie est bien au-dessus de 7 mmol/l, atteignant 10, 15 ou même 30 mmol/l. Dans ces cas, le diagnostic est immédiat, surtout en présence de certains des symptômes décrits plus haut, et il n'est pas nécessaire de faire un deuxième test.

Le prédiabète

Malgré ce qu'on pourrait croire, les risques pour la santé n'apparaissent pas soudainement lorsqu'on franchit les seuils adoptés par la communauté médicale. Ceux-ci ont été introduits pour permettre des diagnostics clairs. Néanmoins, s'il n'y a aucune ligne magique qui sépare la santé de la maladie, on sait toutefois que certaines glycémies sont caractéristiques d'organismes ayant beaucoup de difficulté à maîtriser leur glucose. Les personnes qui sont dans cette situation sont presque assurées de voir leur état se détériorer rapidement si aucune action n'est prise. Ainsi, les individus qui présentent un taux d'HbA_{1c} se situant entre 6 et 6,4 % affichent une résistance presque totale à l'insuline, et leurs cellules bêta ne fonctionnent déjà plus qu'à environ 20 %, ce qui n'est pas loin du diabète, même si, formellement, ces personnes n'en souffrent pas encore (Daniele *et al.*, 2014).

Voilà pourquoi les diverses associations nationales de diabète ont introduit le concept de *prédiabète*, qui est associé à un taux de glucose à jeun mal maîtrisé ou à une tolérance limitée au glucose. Ici, toutefois, le consensus sur les divers seuils n'est pas parfait. L'Association canadienne du diabète, par exemple, propose les seuils suivants, basés sur les mêmes tests que pour le diabète.

- Glycémie à jeun de 6,1 mmol/l ou plus
- Glycémie à deux heures entre 7,8 et 11 mmol/l
- Valeur de l'hémoglobine glyquée entre 6,0 et 6,4 %

L'American Diabetes Association, de son côté, utilise des valeurs légèrement plus basses : glycémie à jeun de 5,6 à 6,9 mmol/l (de 100 à 125 mg/dl), glycémie à un test de tolérance au glucose de 7,8 à 11 mmol/l (de 140 à 199 mg/dl) et HbA_{1c} de 5,7 à 6,4 %.

Les personnes qui répondent à ces critères ne présentent pas de risque accru de maladies microvasculaires. Cependant, elles ont une probabilité plus élevée de souffrir de troubles cardiovasculaires ainsi que de diabète. Elles n'auront pas automatiquement le diabète, particulièrement si elles ne répondent qu'à un critère, et une certaine proportion d'entre elles retrouveront même un jour une glycémie normale.

Ce n'est pas une raison pour ne rien faire. Si vous faites partie des gens prédiabétiques, vous devriez plutôt recevoir cette nouvelle comme un avertissement. Il est temps d'agir et de changer vos habitudes, mais il n'est pas trop tard pour éviter les divers risques associés au diabète. L'approche présentée dans ce livre s'applique tout à fait à votre cas. Alors, poursuivez votre lecture.

Dois-je m'en faire ?

La plupart des gens qui souffrent de diabète vivent une vie normale. Le diabète est indolore, et plusieurs de ses effets les plus importants ne nous affectent que sur le long terme. Cette discrétion explique pourquoi de nombreux patients et médecins considèrent que cette maladie n'est pas si grave, après tout. Or, les conséquences directes et indirectes du diabète sont majeures, et cette maladie doit être prise au sérieux. Il faut y faire face avec vigueur pour notre propre bénéfice et notre qualité de vie, mais aussi en raison de sa prévalence et de son impact sur le système de santé dans son ensemble.

Une forte concentration de glucose dans le sang cause des dommages considérables à notre corps. Cela affecte la vision, bien sûr, mais pas seulement : près des trois quarts des personnes atteintes de cette maladie silencieuse souffrent de dégradation du système nerveux, particulièrement aux extrémités – pieds, mains –, d'un ralentissement de la digestion, du syndrome du tunnel carpien, de dysfonction érectile. Et ça ne s'arrête pas là : le système nerveux central est lui aussi généralement affecté, ce qui accroît le risque d'accident vasculaire cérébral et de troubles cognitifs. En termes simples, le diabète est associé directement à une augmentation du risque de cécité, d'amputation, de problèmes cardiaques et de démence.

N'est-ce pas suffisant pour agir ?

À qui dois-je en parler ?

Après avoir reçu un diagnostic de diabète, ne gardez pas cette mauvaise nouvelle pour vous. Vous pouvez agir pour ralentir la progression de la maladie en mettant votre famille et vos proches au courant de votre état. Ce n'est pas nécessairement facile. Personne ne veut être défini par une maladie. Ç'a certainement été le cas pour moi. J'ai hésité pendant plusieurs mois avant de parler de ma maladie à mon entourage. Je percevais ce diagnostic comme un échec personnel, démontrant une incapacité à prendre soin de moi. Après tout, j'étais le seul responsable de mon poids et de mon inactivité physique. Le diabète, pour plusieurs d'entre nous, est une projection publique de la personnalité la plus profonde. Et l'image qu'il renvoie n'est souvent pas celle que nous aimerions voir.

Pourtant, parce que le diabète est en grande partie évitable, nous avons la responsabilité d'en parler autour de nous. En annonçant notre état et en discutant des risques associés au diabète, nous pouvons aider un frère, une fille, une nièce ou un ami à agir de manière préventive en perdant du poids ou en commençant à bouger, avant qu'il soit trop tard. Les conversations franches et ouvertes sont probablement l'un des meilleurs moyens d'enrayer cette épidémie planétaire.

Le fait de parler de votre état pourrait également vous permettre de soutenir des membres de votre famille ou de votre entourage qui souffrent du diabète et qui n'ont pas encore la volonté ou la force d'en discuter. Les échanges avec d'autres personnes touchées constituent un excellent moyen de mieux maîtriser votre maladie, de tolérer les rechutes et de faire les changements qui s'imposent sur le plan de votre mode de vie.

Cet appui est important. En effet, ce n'est pas du jour au lendemain que vous êtes devenu inactif ou que vous avez pris du poids. Tout comme moi, vous avez probablement suivi de nombreux régimes et commencé, à plusieurs reprises, à faire de l'activité physique. Cependant, pour toutes sortes de raisons, cela n'a pas duré. Quoi que vous puissiez entendre des gens minces et actifs, il n'est pas facile de changer nos habitudes, et plus les échecs s'accumulent, plus ça devient difficile.

Le fait de parler de votre maladie peut vous aider à changer votre mode de vie. Dites aux gens de votre entourage de ne pas vous donner de grosses portions de nourriture ni de bonbons à votre anniversaire. Rappelez-leur d'attendre que vous ayez atteint votre poids cible avant de vous offrir des vêtements et dites-leur que vous souhaitez faire de l'exercice, tout en les invitant à se joindre à vous.

Il y a de nombreuses bonnes raisons de faire connaître votre état autour de vous. Cela dit, que vous décidiez ou non de parler ouvertement de votre diabète, rappelez-vous que vous n'êtes pas défini par cette maladie, pas plus que par la longueur de votre nez ou la couleur de vos yeux. Pour le moment, le diabète fait partie de vous, il affecte une partie de votre vie, mais il n'est pas vous. Vous êtes beaucoup plus que ça, pour le meilleur et pour le pire !

Passer du « je suis diabétique » au « j'ai le diabète », puis au « je suis guéri »

Nous ne devrions pas laisser une maladie, ou toute autre condition, nous définir. Cela veut dire qu'il faut, dans un premier temps, passer du « je suis diabétique » au « j'ai le diabète ». Ce déplacement de sens facilite la prise en charge de la maladie et donne la possibilité de considérer des avenues permettant de la maîtriser et même d'en guérir.

Une fois que j'ai eu reçu mon diagnostic, il m'a fallu quelques semaines pour vraiment commencer à agir. Bien sûr, j'ai accepté les médicaments dès le premier jour, en plus d'apprendre à utiliser mon glucomètre. Cela restait tout de même bien superficiel ; mon changement d'attitude devait avoir lieu à un niveau beaucoup plus profond. Pour ce faire, j'avais besoin d'être convaincu de l'importance d'un tel changement. Dans mon cas, l'acceptation et l'intégration sont passées, tout d'abord, par une recherche presque boulimique d'information sur le diabète, sur la façon dont il évolue et affecte la santé. Je voulais comprendre en détail ce que je devais faire pour maîtriser la situation.

Ça n'a pas été facile. J'ai découvert que les données se répètent beaucoup, mais qu'elles ne vont généralement pas en profondeur. Surtout, l'approche proposée par presque tous vise à limiter les dégâts plutôt qu'à vraiment s'attaquer à la maladie. Pour approfondir la question, il m'a fallu aller au-delà de l'information accessible au grand public et me plonger dans la documentation scientifique. Décortiquer les études et les expériences a été un travail considérable pour lequel ma formation de scientifique m'a été fort utile.

Je vous propose donc de vous épargner quelques efforts en vous offrant le produit de mes lectures et de mes analyses dans un langage compréhensible. Dans la première partie du livre, je présente ce qui est connu sur le diabète : ses bases physiologiques, ses effets sur la santé, son évolution. Dans la deuxième partie, je parle de l'approche standard concernant le diabète, des directives habituelles, des recommandations alimentaires, des médicaments. Je montre que cette approche échoue lamentablement à inverser le cours de la maladie ou même à arrêter sa progression.

Ces deux parties, qui répéteront parfois ce que vous savez déjà, vous convaincront de l'importance de vous détacher de l'approche dominante et d'adopter la voie de la guérison proposée par Roy Taylor. Je présente cette voie dans la dernière partie du livre, en commençant par les progrès récents dans la compréhension du diabète, qui sont venus en grande partie de la recherche sur les effets de la chirurgie bariatrique. Ensuite, je traite du régime à très faible teneur en calories qui pourrait vous guérir complètement. Mon but est de m'assurer que vous en saurez assez, à la fin de cet ouvrage, pour être convaincu que les directives actuelles sont insuffisantes et que la solution que je vous propose, si simple à mettre en place, est la meilleure façon de vous attaquer directement au diabète.

PREMIÈRE PARTIE

QU'EST-CE QUE LE DIABÈTE ?

CHAPITRE 2

Les bases physiologiques

Le diabète est étroitement associé aux difficultés de l'organisme à gérer correctement la production et l'utilisation d'une petite molécule, l'insuline. Cette maladie nous rappelle que notre survie repose sur un équilibre délicat entre de nombreuses fonctions physiologiques et que la défaillance d'une seule de ces fonctions peut transformer radicalement notre vie.

Le rôle du pancréas

On l'a vu plus tôt, le diabète a sa source profonde dans une certaine résistance à l'insuline. Pour la plupart des gens, toutefois, cette résistance n'est pas suffisante pour développer le diabète, car le pancréas ajuste continuellement la production d'insuline. Cet organe est une glande relativement petite qui produit tout un zoo d'enzymes et d'hormones. Situé derrière l'estomac, à l'arrière de l'abdomen et contre la colonne vertébrale, il a une forme plutôt longue et plate, mesure entre 18 et 25 centimètres et joue un rôle essentiel dans la digestion. Le pancréas fonctionne sans attirer l'attention, contrairement à l'estomac, aux intestins ou au cœur. Pourtant, son dysfonctionnement, qu'il soit attribuable à une infection comme la pancréatite ou à un cancer, a un effet presque immédiat sur le reste du corps et peut même être mortel.

La production principale du pancréas, en quantité totale, est dominée par des enzymes comme la trypsine, la chymotrypsine, l'amylase et la lipase, qui sont libérées dans le duodénum, la première portion de l'intestin grêle, pour faciliter la digestion. Cette production est d'environ un litre par jour et occupe 95 % des tissus pancréatiques. Le 5 % restant est composé de cellules endocrines, identifiées pour la première fois en 1868 par le biologiste allemand Paul Langerhans. Ces cellules, distribuées sous forme d'amas dans le tissu pancréatique, sont appelées *îlots de Langerhans.* Chez un adulte moyen, on compte environ un million de ces îlots, qui libèrent plusieurs hormones différentes directement dans le circuit sanguin malgré un poids total de 1 à 1,5 gramme seulement.

Les îlots de Langerhans sont eux-mêmes composés de plusieurs types de cellules, dont les cellules alpha et les cellules bêta. Ensemble, ces deux types de cellules forment l'équipe centrale qui commande la concentration de sucre dans le sang et, à travers elle, l'absorption d'énergie par le corps. Les cellules alpha sont responsables de la sécrétion du glucagon, une hormone qui stimule la conversion en glucose du glycogène emmagasiné dans le foie. Les cellules bêta, de leur côté, sont responsables de la production de l'insuline (dont le nom dérive des mots *îlot* et *insulaire*), une hormone qui contrôle l'absorption du sucre par divers tissus.

La production et le rôle de l'insuline

La compréhension des causes physiologiques du diabète a progressé assez rapidement après la découverte de Langerhans. Dès 1891, la relation entre le pancréas et le diabète a été établie et, dix ans plus tard, Eugene Lindsay Opie, un pathologiste américain, a montré le lien existant entre les îlots de Langerhans et la maladie. Cette découverte a mis ces îlots au centre des préoccupations des chercheurs, qui ont alors tenté de comprendre leur structure physiologique ainsi que d'isoler la ou les molécules responsables du contrôle du niveau de sucre dans le sang. Après cette découverte, il n'a fallu que cinq ans à Georg Ludwig Zülzer, un médecin allemand, pour montrer que l'extrait de pancréas pouvait aider à traiter les chiens souffrant de diabète induit. L'expérience a été répétée de nombreuses fois au cours des vingt années suivantes.

Il a fallu beaucoup d'efforts, toutefois, afin d'identifier la molécule active associée au diabète, et isoler les composés produits par les îlots s'est avéré complexe puisqu'ils ne représentent, on l'a vu, qu'une très petite fraction du pancréas. Cet exploit a finalement été accompli par le Canadien Frederick Banting et ses collègues, en décembre 1921. À peine un mois plus tard, le composé isolé, l'insuline, a été injecté à un garçon de quatorze ans, Leonard Thompson, qui était en train de mourir de diabète de type 1. L'intervention lui a sauvé la vie et lui a permis de survivre jusqu'en 1935, un succès remarquable pour une procédure expérimentale. En moins d'un an, la production à grande échelle d'insuline avait été maîtrisée, et le composé, mis à la disposition du public, offrait, pour la première fois dans l'histoire de l'humanité, un traitement pour le diabète de type 1 et le diabète de type 2 insulinodépendant.

Il a fallu encore plus de trente ans pour comprendre en détail la nature de l'insuline. Nous savons aujourd'hui que cette molécule est un peptide, soit une courte séquence d'acides aminés, les blocs de base des protéines. Comptant cinquante et un acides aminés, l'insuline est formée de deux chaînes reliées par une liaison chimique qu'on appelle *pont disulfure.*

Cette petite hormone joue un rôle central dans la régulation du taux de glucose dans le sang. L'insuline envoie ses signaux en se liant à des récepteurs qui sont présents sur la surface de presque toutes les cellules du corps. Elle contrôle ainsi l'absorption du glucose dans le sang. Et ça ne s'arrête pas là : elle contrôle également diverses voies intracellulaires associées à la croissance et à la survie cellulaire, à la régulation du glucose, au stress oxydatif et à l'inhibition de la mort cellulaire (apoptose) (Meusel *et al.,* 2014). L'importance même de l'insuline dans de nombreux mécanismes biologiques suggère qu'elle est apparue très tôt dans l'évolution. Sans surprise, on la trouve non seulement chez tous les animaux – ou eucaryotes –, mais également chez les champignons, une forme de vie beaucoup plus ancienne. Elle est donc essentielle à la gestion de l'énergie chez une vaste fraction des organismes vivants.

Bien qu'il existe de nombreuses variantes de l'insuline, la séquence spécifique chez les vertébrés est remarquablement conservée. Ainsi, l'insuline porcine ne diffère de la forme humaine que par un acide aminé. Cette forte conservation explique pourquoi il a été si facile de transférer l'insuline isolée chez le chien, le porc et le bœuf aux humains, un transfert qui ne peut généralement pas être effectué, avec la plupart des hormones, sans provoquer de réactions violentes, voire mortelles.

Dans son état naturel, l'insuline se trouve sous forme d'hexamère, c'est-à-dire dans une structure qui rassemble six molécules identiques, comme le montre la figure 2.1, et qui est totalement inactive. De temps à autre, cette structure se brise et libère des molécules qui vont alors réagir et jouer leur rôle. Cet état hexamérique non réactif est utilisé par le corps pour assurer la gestion de base du glucose, puisque ainsi, l'insuline est constamment accessible à un

Figure 2.1

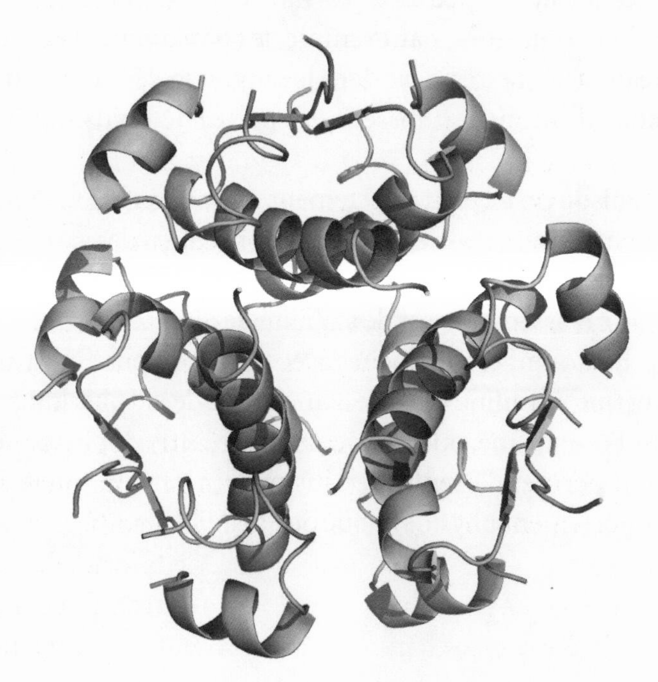

niveau préfixé partout dans l'organisme. Ce niveau varie en fonction des besoins. Après un repas, par exemple, le pancréas se lance au travail et libère un surplus d'insuline qui permet de réagir à l'augmentation de glucose dans le sang.

En effet, l'insuline, qui est distribuée par le sang, est essentielle pour permettre au glucose d'entrer dans certaines cellules, comme les cellules musculaires et adipeuses, pour y fournir l'énergie nécessaire. Elle joue un certain nombre d'autres rôles importants dans la gestion de l'énergie. Par exemple, elle facilite la synthèse du glycogène, c'est-à-dire la conversion du glucose en un polymère qui peut être stocké et récupéré sur demande afin de maintenir un niveau de glucose constant dans le sang. L'insuline augmente également la synthèse des lipides, soit l'absorption par les cellules adipeuses de ces molécules de graisse, ce qui explique pourquoi, par exemple, les personnes ayant un niveau de sucre très élevé dans le sang, associé à une insuffisance d'insuline, subissent des pertes de poids importantes.

Puisqu'on ne peut directement reproduire le fonctionnement du pancréas, les chercheurs ont conçu des variantes – ou analogues – de l'insuline qui présentent une gamme de taux d'assemblage et de stabilité de l'hexamère d'insuline. En dosant ces analogues avec soin, il est possible d'assurer que l'insuline injectée a une durée de vie plus longue dans l'organisme, ou, à l'inverse, une réactivité plus forte, ce qui permet de répliquer, jusqu'à un certain point, le comportement physiologique de l'insuline.

La résistance à l'insuline

Bien avant que les niveaux de glucose dans le sang atteignent des valeurs inhabituelles, il est possible de repérer les individus qui seront plus susceptibles de souffrir du diabète en mesurant la résistance de l'organisme à utiliser l'insuline.

Cette résistance par les cellules des muscles et du foie est un aspect majeur du diabète et représente une condition essentielle à l'apparition de la maladie. Dans ce cas, l'insuline n'est pas captée aussi facilement qu'attendu par les récepteurs, ce qui limite son efficacité et, partant, l'efficacité des cellules musculaire à absorber le glucose dans les muscles ou, dans le cas du foie, à le transformer en glycogène. On pense aujourd'hui que cette condition est une des principales causes de l'affaiblissement des cellules bêta au fil des ans, puisque pour maintenir un taux suffisant d'absorption du glucose, celles-ci doivent augmenter la concentration d'insuline dans le sang. Bien que l'origine physiologique de cette résistance soit toujours inconnue, nous savons que l'obésité et la sédentarité contribuent à renforcer cette condition, qui semble être d'abord déterminée par la génétique. En effet, les enfants de parents qui sont tous deux diabétiques souffrent systématiquement de résistance à l'insuline.

Comme je l'ai dit, la résistance à l'insuline est observée dans les muscles, où elle est le plus souvent associée à une mauvaise absorption du glucose après les repas. Cette résistance a également des effets sur le foie, qui maintient, de manière permanente, un niveau de production de glucose élevé et ne réagit pas aux signaux de l'insuline lui demandant de ralentir la cadence. La résistance à l'insuline conduit donc à un niveau élevé de glucose à jeun dans le sang, qui peut être, dans un premier temps, compensé par une augmentation de la production d'insuline par les cellules bêta du pancréas. Cette étape est associée à ce qu'on appelle l'*hyperinsulinémie périphérique*, où un niveau élevé d'insuline dans le sang permet de maintenir le niveau de sucre dans les limites de la normale. Pour y parvenir, bien sûr, les cellules bêta doivent travailler plus fort, subissant un stress supplémentaire qui peut les affaiblir au fil du temps. Lorsque la masse des cellules bêta commence à diminuer, le corps ne peut plus produire suffisamment d'insuline pour ramener le niveau de glucose sanguin à l'intérieur des valeurs physiologiques et, un jour, le niveau de sucre dans le sang commence à augmenter, conduisant finalement au diabète.

Bien que la résistance à l'insuline soit considérée comme une anomalie par rapport à l'état physiologique normal, cette condition caractérise une grande fraction de la population mondiale et pourrait même être prédominante dans certains sous-groupes importants. Cette observation soulève, en premier lieu, la question de la normalité et, en second lieu, celle de l'intérêt de l'évolution de préserver un tel état désavantageux pour l'individu. Pendant longtemps, on a cru que la résistance à l'insuline permettait de favoriser l'accumulation de graisses et de limiter l'utilisation du glucose durant des périodes de stress alimentaire. Toutefois, des travaux récents suggèrent que ce n'est pas le cas : l'étude de communautés isolées en Asie centrale montre que ces populations ne présentent aucun signe d'une quelconque anomalie (Ségurel, 2013). Est-il possible alors que la résistance à l'insuline soit longtemps restée cachée parce que les conditions de vie (accès limité à la nourriture, travail physique important) permettaient à la plupart des gens affectés de compenser entièrement les risques associés à cette condition ? Après tout, ce n'est qu'avec la propagation de l'obésité et de l'inactivité que celle-ci a commencé à peser de manière notable dans la balance. La résistance à l'insuline pourrait aussi être accompagnée d'effets secondaires qui n'ont pas encore été identifiés, mais qui fourniraient un avantage évolutif dans certaines circonstances difficiles qui restent à définir, mais qui, on le voit aujourd'hui, ont permis d'assurer la pérennité de cette condition.

Voilà certainement une question qui mérite d'être creusée plus avant.

L'hyperglycémie

Quelles que soient les raisons qui ont poussé l'évolution à maintenir la résistance à l'insuline, cette condition peut parfois conduire à une forte diminution de la masse des cellules bêta et à des niveaux anormalement élevés et permanents de sucre dans le sang, une maladie appelée *diabète de type 2*. Si une certaine quantité de glucose, à peu près l'équivalent d'une cuillère à soupe de sucre, se trouve en permanence dans le sang afin de fournir l'énergie au corps pour lui permettre de fonctionner, toute élévation de ce seuil conduit irrémédiablement à des problèmes considérables pour l'organisme.

L'un des effets les plus importants de l'hyperglycémie

est la libération excédentaire d'oxygène par les mitochondries, les machines productrices d'énergie présentes dans chacune de nos cellules. Cet oxygène supplémentaire induit un stress oxydatif qui provoque des dommages microvasculaires et macrovasculaires, affectant ainsi l'ensemble des vaisseaux sanguins. Ces effets sont également observés au niveau du cerveau; ils affectent, en particulier, l'apport de substances nutritives et d'oxygène à cet organe. Les effets de l'hyperglycémie sur le cerveau apparaissent rapidement (on parle tout de même d'années), et l'autorégulation cérébrale semble être déjà modifiée chez les adultes d'âge moyen souffrant de diabète de type 2, phénomène qui s'aggrave de manière notable avec le temps et qui peut conduire à l'atrophie structurelle et à d'autres dommages profonds.

Ces effets sur le cerveau et sur de nombreux autres organes sont visibles bien avant que le diabète soit diagnostiqué. Même les prédiabétiques, en particulier les personnes présentant une intolérance au glucose, montrent un déclin cognitif plus rapide que la population en santé, bien que cette baisse soit relativement faible. Ces observations montrent bien le lien entre les concentrations élevées de sucre dans le sang et les transformations physiologiques, même à des niveaux inférieurs à ceux qui établissent le diabète de type 2 (Meusel *et al.*, 2014).

Un corps qui s'adapte

Comme je l'ai mentionné plus haut, l'apparition du diabète repose sur une prédisposition génétique caractérisée par la difficulté pour certaines cellules d'absorber l'insuline, caractéristique relativement commune qui, dans des conditions normales, ne dégénère pas. Si ce lien est facile à montrer en suivant les arbres généalogiques, la source génétique reste à confirmer : bien qu'on ait identifié plus de cinquante gènes qui seraient liés d'une façon ou d'une autre à la résistance à l'insuline, aucune relation de causalité n'a encore été démontrée. Il reste donc pas mal de recherche à faire pour déterminer si un ou plusieurs de ces gènes sont les principaux coupables. Pour le moment, toutefois, le nombre de gènes liés à cette condition suggère que la résistance à l'insuline n'est pas associée à un seul facteur, ce qui limite les espoirs qu'une thérapie génique puisse rapidement corriger le désordre physiologique à l'origine du diabète.

Il ne faut pas oublier que, pour la plupart des individus touchés par la résistance à l'insuline, l'organisme parvient à compenser sans diminuer la qualité ou l'espérance de vie. Le problème survient lorsque cette condition est associée à un excédent de graisse abdominale et à un faible niveau d'activité physique. Attaqué de toutes parts, le corps devient alors incapable de contrôler les taux de glucose sanguin, ce qui mène à la désorganisation du système de gestion de sucre.

Ce processus de désorganisation est lent et progressif. Pendant de nombreuses années, le corps parvient à compenser l'insulinorésistance et à maintenir les niveaux de glucose dans le plasma dans la gamme normale. Pendant cette phase, qui peut, dans certains cas, durer toute une vie, seule la mesure de la concentration d'insuline dans le sang indique la prédisposition génétique. Avec le temps et le stress, cependant, le pancréas peut commencer à avoir du mal à maintenir sa production d'insuline, ce qui conduit à un niveau de glucose à jeun qui monte légèrement ou à des taux élevés de glucose après les repas. Le premier signal est appelé *glycémie anormale à jeun,* et le second, *résistance anormale à l'insuline.*

Cela signifie que, bien avant qu'on ait diagnostiqué le diabète chez moi, je montrais déjà une glycémie à jeun qui était plus élevée que la normale et qui était facilement mesurable. Cette progression est clairement illustrée par une étude récente qui se concentre sur cet indicateur. Certains des résultats de cette recherche sont présentés dans le tableau 2.1, qui montre la valeur de divers indicateurs physiologiques mesurés pour des personnes ayant un taux de glucose à jeun normal (sous la barre des 5,6 mmol/l), élevé (entre 5,6 et 7,0 mmol/l) et diabétique (supérieur à 7,0 mmol/l).

Ce tableau est un peu complexe, mais il mérite qu'on s'y attarde. Dans un premier temps, on remarque que les personnes présentant un taux de glucose à jeun normal maintiennent une glycémie dans une bande très étroite de valeurs, entre 5,1 et 5,2 mmol/l, qui se démarque nettement de ce qu'on observe chez les individus affichant un taux élevé, où la moyenne à jeun est de 5,9 mmol/l, sous le seuil diabétique, mais pas très loin du niveau prédiabétique, fixé à 5,6 ou 6,1 mmol/l, suivant l'association de diabète à laquelle on se réfère. Nous reviendrons sur ce point lorsque nous traiterons de l'évolution de la maladie.

On remarque aussi que la concentration d'insuline dans le sang suit de près le niveau de glucose sanguin. Chez les individus normaux, on observe une concentration d'in-

Tableau 2.1 Caractéristiques physiologiques de sujets présentant une glycémie normale (GN), une intolérance au glucose (IG) et un diabète de type 2 (Diabète)

Paramètre	GN	IG	Diabète
Nombre de participants (H/F)	19 (5/14)	19 (9/10)	35 (28/7)
Âge (ans)	45,1 ± 4,2	45,7 ± 3,3	61,0 ± 2,0
Indice de masse corporelle (kg/m^2)	25,8 ± 1,0	29,3 ± 1,2	32,7 ± 0,7
Cholestérol (mmol/l)	5,35 ± 0,39	5,17 ± 0,24	4,72 ± 0,17
Cholestérol LDL (mmol/l)	3,19 ± 0,35	2,96 ± 0,18	2,69 ± 0,14
Cholestérol HDL (mmol/l)	1,53 ± 0,09	1,44 ± 0,12	1,07 ± 0,05
Triglycérides (mmol/l)	1,38 ± 0,18	1,73 ± 0,27	2,29 ± 0,25
Pression systolique (mm Hg)	117,0 ± 3,4	122,6 ± 3,3	129 ± 2,3
Pression diastolique (mm Hg)	72,6 ± 1,9	78,2 ± 1,8	77,1 ± 1,6
Glycémie à jeun (mmol/l)	5,22 ± 0,05	5,87 ± 0,06	7,53 ± 0,29
Insuline à jeun (pmol/l)	52,8 ± 6,0	82,0 ± 11,0	124,8 ± 13,9
HbA_{1C} (%)	5,2 ± 0,1	5,2 ± 0,1	6,7 ± 0,1

Source : K. C. Maki, J. M. McKenney, M. V. Farmer, M. S. Reeves et M. R. Dicklin (2009). « Indices of insulin sensitivity and secretion from a standard liquid meal test in subjects with type 2 diabetes, impaired or normal fasting glucose », *Nutrition Journal*, vol. 8, p. 22.

suline d'environ 53 pmol/l. Elle passe à 82 pmol/l chez les individus dont le taux de sucre est élevé et à 125 pmol/l chez les diabétiques. Cette augmentation montre bien la présence d'une résistance à l'insuline : le taux de sucre dans le sang ne parvient pas à être maîtrisé malgré une production deux fois plus élevée d'insuline par le pancréas. On comprend, avec ces chiffres, que ce pauvre organe se fatigue !

Pour certains, ces efforts ne sont pas inutiles. Ainsi, même avec une glycémie à jeun de 5,9 mmol/l, le corps parvient à maintenir un taux de sucre moyen tout à fait normal, comme on peut le voir avec la mesure de l'HbA_{1c}, qui, à 5,2 %, est identique à la valeur normale. Cela limite les dommages causés aux vaisseaux sanguins. À un moment, cependant, le stress devient trop grand pour certaines personnes souffrant d'un niveau de glucose à jeun élevé, et le pancréas ne parvient plus à compenser. C'est alors que le diabète s'installe, comme on le voit dans les données de Maki : la glycémie à jeun moyenne pour ce groupe s'approche de 8 mmol/l et, plus important encore, la glycémie moyenne n'est plus maîtrisée, et l'HbA_{1c} monte en flèche pour atteindre 6,7 %, un niveau très dommageable pour le corps.

Les résultats de cette étude ne nous permettent pas de comprendre comment on passe de l'état normal à l'état diabétique. On y découvre seulement que le corps peut souvent compenser la résistance à l'insuline, de sorte qu'une fraction importante des personnes atteintes de troubles de la glycémie à jeun ne passera jamais au stade de diabète de type 2, évolution qui, de toute manière, peut prendre de cinq à vingt ans.

On ne sait toujours pas pourquoi ce dérèglement se produit chez certaines personnes et pas chez d'autres. Le mécanisme précis responsable de l'apparition du diabète de type 2 est encore inconnu. Cependant, on comprend suffisamment cette maladie pour savoir qu'elle se base sur une faiblesse fondamentale du système de gestion du sucre. Dans des conditions normales, cette faiblesse peut être gérée par le corps et passer inaperçue toute la vie. Si nous ne faisons pas attention, cependant, notre organisme peut perdre les pédales, causant le diabète de type 2. On ne sait pas très bien comment ce dérapage se produit, mais, comme nous le verrons, on connaît bien les principaux facteurs en cause.

Une vue à 600 kilomètres à l'heure

Dans les pages qui précèdent, nous n'avons fait qu'effleurer ce que les chercheurs ont appris au fil des ans sur le diabète. Cette maladie fait l'objet de milliers d'articles de recherche chaque année, et la compréhension des mécanismes associés à la production et à l'absorption de l'insuline est certainement plus subtile que ce qui est présenté ici. Néanmoins, les données fournies sont suffisantes pour nous aider à comprendre les bases physiologiques qui favorisent le diabète et les avancées fondamentales les plus récentes, qui seront décrites un peu plus loin.

Pour le moment, continuons notre introduction au diabète en traitant de ses effets sur la santé, de la manière dont les divers stades de la maladie sont décrits, et du rôle de l'obésité et de la sédentarité dans son développement.

Ces éléments nous permettront de mieux évaluer les approches recommandées pour le traitement du diabète ainsi que les progrès récents qui signalent une voie possible vers sa guérison.

CHAPITRE 3

Le rôle crucial de l'obésité et de la vie sédentaire sur le diabète

Si la résistance à l'insuline est déterminante dans le développement du diabète, l'obésité et la sédentarité représentent les deux principaux facteurs aggravants : elles augmentent de manière notable la résistance à l'insuline et accélèrent le dysfonctionnement des cellules bêta. Ces facteurs sont les grands responsables de l'épidémie de diabète qui frappe la planète entière depuis quelques décennies, alors que, partout, les modes de vie traditionnels sont remplacés par un style de vie uniforme, sédentaire et riche en calories.

L'obésité et la sédentarité sont étroitement liées : on rencontre rarement un coureur de fond obèse. Pourtant, elles accroissent le risque de diabète de manière différente. Si ces deux facteurs ne sont pas la cause de tous les diabètes, ils sont suffisamment importants pour mériter qu'on en parle.

Le rôle de l'obésité

L'obésité est, sans conteste, le principal facteur de risque dans la transition de l'intolérance au glucose à l'état diabétique.

Bien que le lien physiologique entre l'obésité et le diabète ne soit pas encore tout à fait clair, on sait depuis longtemps que la relation est directe et qu'il suffit parfois de perdre quelques kilogrammes pour maîtriser, sans médication, la maladie. Malheureusement, pour beaucoup d'entre nous, cet objectif n'est pas facile à atteindre. Si les dommages causés par l'obésité à long terme, particulièrement ceux liés au diabète, sont au cœur des politiques de santé publique, c'est en bonne partie parce qu'il est très difficile pour des personnes présentant un surpoids de maigrir de manière importante et plus difficile encore d'éviter de reprendre les kilos perdus. Toutes les études ou presque montrent que de 40 à 50 % des personnes qui ont une glycémie à jeun anormale et qui entreprennent un programme visant à modifier leur mode de vie n'atteignent pas leur but et finissent par développer le diabète (Daniele *et al.*, 2014).

Les effets physiologiques de l'obésité

L'obésité est associée à un surplus de graisse dans le corps ou, en termes plus médicaux, à un excès de tissu adipeux. Tous les types de gras ne sont pas égaux quand on parle de diabète, cependant, et on sait aujourd'hui que l'excès de tissu adipeux autour de l'abdomen, ou adiposité viscérale centrale, est un facteur aggravant du diabète et peut même être considéré comme son facteur dominant.

Dans un premier temps, la présence excessive de graisse autour de l'abdomen conduit à la prolifération des acides gras, qui stimulent la synthèse de triglycérides (des molécules de gras) par le foie. Ces derniers, comme je l'ai indiqué plus haut, favorisent la fabrication de glucose, ce qui force les cellules bêta à compenser en augmentant leur production d'insuline. On a donc une première relation directe de cause à effet entre obésité et diabète de type 2.

La graisse présente dans l'abdomen est également associée à une forte concentration de ce qu'on appelle *les acides gras non estérifiés,* qui se trouvent surtout dans le tissu musculaire, les cellules du pancréas et celles du foie. Ces acides jouent un rôle particulièrement important dans la maladie en contribuant à l'inflammation de ces tissus, en plus de servir de source de gras pour le pancréas. Les triglycérides

Figure 3.1

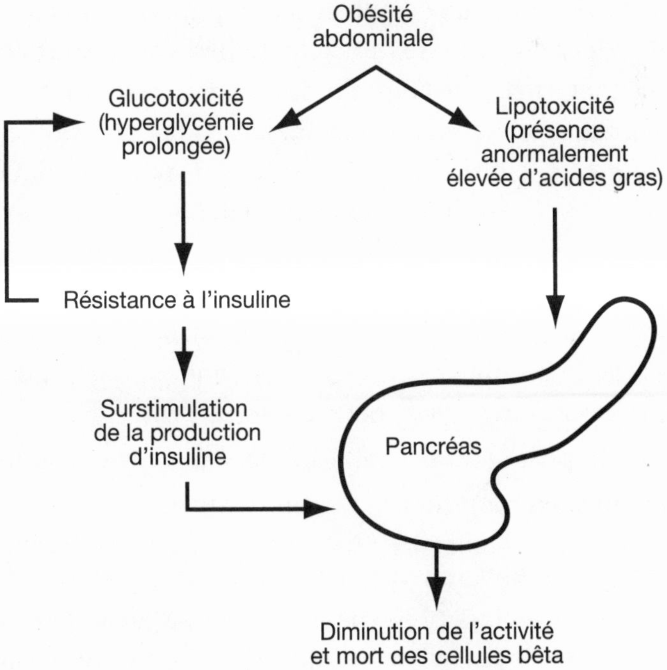

s'accumulent directement dans les îlots de Langerhans et mènent à la formation de céramides, d'autres acides gras impliqués, ceux-ci, dans l'apoptose, ou mort cellulaire programmée. Ces molécules, résultat d'une longue chaîne de réactions chimiques associées à l'obésité, contribuent à accélérer la mort des cellules bêta, ce qui réduit la capacité du pancréas à sécréter de l'insuline.

Le gras abdominal contribue donc doublement au développement du diabète : il augmente le besoin en insuline, puisqu'il ralentit son absorption dans les muscles, et il limite la capacité des cellules bêta à réagir à cette demande par l'intermédiaire d'une cascade toxique qui affaiblit et tue ces cellules (figure 3.1).

Des recherches récentes suggèrent que cette double attaque n'est pas une coïncidence et que les deux phénomènes pourraient être directement liés, s'aggravant l'un l'autre. En effet, afin d'être emmagasinés sous forme de triglycérides par les cellules bêta, les acides gras doivent d'abord être estérifiés, c'est-à-dire transformés chimiquement. Or, ce procédé nécessite un taux de glucose élevé, bien au-delà de la normale. Dans ce cas, plus la concentration de glucose augmente, plus les lipides s'accumulent dans les organes viscéraux, comme le pancréas et le foie, et dans les tissus musculaires. Cette cascade toxique conduit très fréquemment au diabète (Girard, 2005).

Mais je ne suis pas gros !

Bien que l'obésité soit un facteur aggravant du développement du diabète, cette maladie peut apparaître chez des individus qui présentent un poids santé, défini par un

Toutes les graisses ne sont pas égales !

Tous les tissus adipeux n'ont pas les mêmes conséquences sur la santé. C'est leur distribution dans le corps qui fait la différence, distribution qu'on peut séparer en deux classes.

Le premier type de graisse, souvent surnommé « type féminin », est principalement distribué dans la section du bas du corps, sur les hanches et dans le dos. Ce genre de gras est peu sensible à la lipolyse, c'est-à-dire à la rupture des molécules de graisse en glycérol et en acides gras. Cela réduit considérablement ses effets néfastes sur les cellules pancréatiques et la résistance à l'insuline. On considère donc généralement cette graisse comme une réserve d'énergie essentielle, particulièrement durant la grossesse.

Le deuxième type de graisse, dit « masculin », est distribué dans la section supérieure du corps, pour parler comme les entraîneurs de hockey. Ce genre de gras comprend le tissu adipeux sous-cutané et le gras qui entoure les organes viscéraux. Il est très sujet à la lipolyse et affecte par conséquent la fonction normale de plusieurs organes et tissus, y compris les muscles, le foie et le pancréas. Cette graisse, particulièrement dommageable, doit être réduite pour lutter contre le diabète et de nombreuses autres affections.

indice de masse corporelle (IMC) normal[1]. Cette cohorte de diabétiques a fait l'objet de beaucoup moins d'attention de la part des chercheurs, et il reste beaucoup de questions concernant l'apparition de cette maladie chez les individus minces ou normaux. C'est certainement frustrant pour ceux qui sont dans cette situation et qui ne comprennent pas vraiment ce qui se passe. Des travaux récents suggèrent que, pour certains d'entre nous, les cellules pancréatiques sont très sensibles à la présence de graisse viscérale, qui peut se retrouver en quantité non négligeable chez des gens dont l'IMC est normal, causant les effets toxiques présentés plus haut. Je reviendrai sur ce point dans la dernière section du livre, où je parle du régime pseudo-chirurgical visant, justement, à guérir du diabète.

Les effets de l'activité physique et de la sédentarité

La vie sédentaire est associée à un niveau très faible d'efforts physiques, mesurés à la fois en termes d'activité aérobique, qui augmente le métabolisme, et d'efforts musculaires, qui maintiennent et augmentent la masse et la densité des muscles. De nombreux liens entre la vie séden-

1. L'indice de masse corporelle est obtenu en divisant notre poids (en kilogrammes) par le carré de notre grandeur (en mètres). Il permet d'estimer rapidement la présence ou non d'embonpoint chez la plupart d'entre nous. En règle générale, un IMC normal se situe entre 18,5 et 24,9 kg/m^2; au-dessus, on est en surpoids et, au-dessous, d'une maigreur excessive. Un IMC excédant 30 kg/m^2 est associé à un état d'obésité.

taire et le diabète ont été suggérés par les chercheurs au fil du temps ; deux d'entre eux semblent bien établis.

Le premier est lié à la présence de la masse musculaire, qui accroît la consommation de glucose et facilite son contrôle. Le second est associé à une meilleure maîtrise de l'inflammation chronique de bas niveau, qui semble contribuer à la résistance à l'insuline. Ces liens sont de mieux en mieux compris sur le plan biochimique. Nous savons, par exemple, qu'une partie de la réponse à l'inflammation implique la libération d'une famille de biomolécules appelées *cytokines*. Certaines de ces molécules, les TNF-alpha, produites dans le tissu adipeux, jouent un rôle direct dans les syndromes métaboliques comme le diabète en affectant la capacité des cellules à absorber l'insuline.

Or, bien que l'exercice puisse, naïvement, être considéré comme une agression contre le corps causant l'inflammation, ce n'est pas du tout ce qu'on observe. L'effort physique conduit plutôt à la production d'un autre type de cytokines qui présentent, cette fois, des propriétés anti-inflammatoires ! Tout comme les TNF-alpha, ces molécules, les IL-6, sont produites dans les cellules des tissus adipeux, mais, contrairement aux TNF-alpha, elles améliorent la sensibilité à l'insuline, ce qui diminue directement la pression sur le pancréas tout en inhibant la production des TNF-alpha (Petersen et Pedersen, 2005).

Les effets de l'activité physique vont bien au-delà de la gestion de l'inflammation. Si, comme on l'a vu, l'activité affecte directement les niveaux de glucose et la résistance à l'insuline, elle touche aussi, indirectement, un certain nombre d'autres conditions liées au diabète de type 2.

On n'a toujours pas d'image complète des liens entre

l'activité physique et le fonctionnement général du métabolisme, qu'on souffre ou non de diabète. Ainsi, on ne comprend pas encore la façon dont l'activité physique affecte les différentes voies des mécanismes hormonaux et biologiques qui assurent le fonctionnement de nos organes. Toutefois, des décennies d'études ont montré que le corps est une machine qui nécessite une utilisation constante afin de fonctionner de manière optimale : nous avons été programmés pour bouger et travailler physiquement, et notre organisme a besoin d'exercice pour produire toutes les réactions chimiques nécessaires à son maintien. Quels que soient les détails exacts de ces mécanismes, les avantages de l'exercice ont été démontrés à plusieurs reprises. Et lorsque le corps fonctionne mieux, il en va de même de notre capacité à gérer notre glycémie. Pas de doute là-dessus.

C'est ainsi, par exemple, que l'activité physique permet de réduire la pression artérielle, d'améliorer l'hémostase (la qualité globale du sang, y compris la proportion relative des divers lipides qu'on y trouve) et, bien sûr, de maîtriser notre poids. La qualité et l'ampleur des effets varient avec l'intensité et le type d'exercice. Les activités à faible impact, comme le tai-chi, semblent avoir très peu d'effet sur la maîtrise et la qualité de la glycémie ; il faut faire de vrais efforts pour affecter significativement le métabolisme. Voilà pourquoi la promenade après le souper n'est pas suffisante pour quiconque doit augmenter son activité physique. Elle n'est pas à rejeter pour autant, car elle est plaisante et permet de redonner confiance en soi, ce qui peut mener, à terme, à des activités plus intenses et nécessaires pour l'organisme.

Agir dès aujourd'hui

Il n'est pas surprenant, avec ce qu'on vient de voir, que le mode de vie sédentaire et le surpoids soient les deux premières cibles des actions entreprises après un diagnostic de diabète. Si de nombreux médicaments permettent de maîtriser le taux de sucre dans le sang, leur efficacité s'accroît de manière importante lorsqu'on change nos habitudes alimentaires et qu'on se met à l'exercice physique. Quelle que soit la validité des mécanismes biochimiques abordés dans la section précédente, la rapidité avec laquelle les effets de ces changements de style de vie prennent place confirme qu'il faut s'y mettre, comme le montrent de nombreuses études.

Il est nécessaire de poursuivre les recherches afin d'améliorer notre compréhension des mécanismes liant l'obésité et l'inactivité au diabète. Grâce à ces études, il sera possible d'offrir de meilleurs conseils quant aux changements à entreprendre ainsi que de définir l'approche optimale pour favoriser ces transformations. Seule une approche efficace permettant d'agir directement sur les mécanismes physiologiques touchés par l'obésité et l'oisiveté pourra à la fois enrayer la progression mondiale du diabète de type 2 et maîtriser cette maladie chez ceux qui en sont atteints. Il est difficile, aujourd'hui, d'établir un objectif plus important dans la gestion du diabète (Olokoba *et al.*, 2012).

CHAPITRE 4

Les effets du diabète sur la santé

Le diabète est une maladie complexe qui affecte de nombreux systèmes et organes de notre corps, des pieds au cerveau en passant par les yeux et le système cardiovasculaire. Bien souvent, ces effets ne deviennent pas perceptibles avant plusieurs années. Et bien qu'on ne meure pas directement du diabète, à condition d'avoir accès à de l'insuline, nous sommes tous touchés par ces maladies causées par la perte de maîtrise du taux de sucre sanguin, avec des conséquences qui diminuent notre qualité de vie et peuvent même être mortelles.

Ce chapitre passe en revue plusieurs des pathologies provoquées, en grande partie, par des niveaux élevés de glucose dans le sang. La liste des risques potentiels présentée ici, bien que longue, n'est pas complète. Elle devrait suffire, cependant, pour nous faire prendre conscience des effets à long terme du diabète et des bénéfices que nous pouvons retirer en faisant les efforts nécessaires pour maîtriser notre glycémie et, ainsi, réduire et même éliminer ces répercussions négatives.

Les complications microvasculaires

Le système microvasculaire est responsable de l'approvisionnement sanguin de la peau, des yeux, du système nerveux périphérique ainsi que des organes internes tels que les reins. Au niveau de la peau, par exemple, le système microvasculaire comprend les capillaires, qui apportent les nutriments aux cellules de cet organe et permettent sa thermorégulation. L'ensemble de ces tissus partage une disposition à laisser pénétrer le glucose relativement librement dans les cellules. Cela signifie que la concentration intracellulaire de glucose, pour ce système, est totalement contrôlée par le niveau global de glucose dans le sang, ce qui explique pourquoi il est le premier à être affecté par l'hyperglycémie globale.

Si l'origine biochimique des complications microvasculaires associées au taux élevé de glucose sanguin n'est pas encore complètement élucidée, les chercheurs s'entendent pour montrer du doigt l'augmentation du stress oxydatif causé par l'hyperglycémie. En effet, les niveaux élevés de glucose dans le sang conduiraient, entre autres choses, à la formation de produits de glycation avancée (AGE), des glycotoxines formées à la suite d'une réaction entre des sucres et certains acides aminés. Or, puisque les tissus microvasculaires, contrairement à d'autres, sont incapables de réguler le niveau de glucose, ils sont les premiers touchés par la perte de maîtrise de la glycémie liée au diabète, qui favorise de manière démesurée la formation de glycotoxines dans ces tissus. Le stress oxydatif renforce alors les complications microvasculaires de tous genres. Rassemblées sous le vocable de *microangiopathies*, celles-ci comprennent notamment la rétinopathie ainsi que divers troubles se manifestant dans les extrémités. Voyons-les en détail.

La rétinopathie

Le diabète est la première cause de cécité dans le monde, et on estime qu'environ 40 % des adultes américains atteints de cette maladie montrent des signes de rétinopathie liés à des détériorations bien typées de la rétine. Les rétinopathies diabétiques sont généralement classées en trois catégories principales, associées chacune à un dysfonctionnement particulier du système microvasculaire : l'œdème maculaire, provoqué par une détérioration des vaisseaux sanguins ; l'ischémie maculaire, qui consiste en une multiplication progressive des vaisseaux sanguins associée à des microanévrismes, à des hémorragies et à des malformations vasculaires ; et l'occlusion étendue des capillaires rétiniens, plus communément appelée *rétinopathie diabétique proliférante.*

Bien que le détail des mécanismes liant l'hyperglycémie à la rétinopathie ne soit pas complètement compris, l'importance de cette relation est si grande que le seuil d'hyperglycémie définissant le diabète est défini par le niveau de sucre sanguin à partir duquel cette maladie vasculaire apparaît. Le risque de rétinopathie augmente également quand on souffre de pression artérielle élevée, affection qui accompagne généralement le diabète, ou de glaucome, affection qui se caractérise par une pression interne élevée dans l'œil. Ces liens directs expliquent en partie pourquoi on fait un suivi de ces deux maladies chez les personnes souffrant de diabète.

Alors qu'il est possible de prévenir l'apparition de la rétinopathie à l'aide d'une insulinothérapie bien maîtrisée, le défi est considérable dans le cas du diabète traité par voie orale. En effet, les dommages à la rétine sont souvent déjà bien visibles lorsque le traitement à l'insuline commence, et il est alors très difficile d'inverser le cours de la maladie, à moins de maîtriser parfaitement le niveau de sucre dans le sang. Un tel contrôle est difficile à atteindre avec le protocole standard, qui combine des changements de style de vie avec des médicaments, et, en général, on ne peut qu'essayer à ce stade de ralentir la progression du mal.

Il y a tout de même un peu d'espoir : la rétinopathie peut être renversée chez les personnes subissant une transplantation du pancréas ou une chirurgie bariatrique, deux opérations qui permettent, dans de nombreux cas, de guérir du diabète. Voilà une autre bonne raison d'entreprendre la cure présentée à la fin de ce livre.

Le mal perforant plantaire

Le mal perforant plantaire, développement d'ulcères (généralement dans les membres inférieurs) qui peut conduire à l'amputation, est également lié à la microangiopathie. Tout comme pour la rétinopathie, les mécanismes biochimiques responsables de cette condition ne sont pas totalement connus. Il semble cependant que l'hyperglycémie chronique induise des changements à la fois dans les voies métaboliques et dans la structure des microvaisseaux, altérations qui conduisent à un épaississement progressif de la membrane capillaire. Cet épaississement est associé à une augmentation de la pression hydrostatique et à une réduction du débit sanguin. Ensemble, ces changements affectent à la fois la capacité de guérison et la viabilité des tissus touchés, ce qui les rend plus fragiles et moins en mesure de se remettre de coupures et de contusions. Au fil du temps, des ulcères apparaissent, prennent de l'expansion et infectent les tissus de plus en plus profondément (Chao et Cheing, 2009).

Dans le monde développé, le diabète est la première cause d'amputation, principalement des membres inférieurs. Tout comme pour la rétinopathie, l'apparition d'ulcères pouvant mener à cette chirurgie majeure est associée presque exclusivement à une glycémie élevée. C'est donc une conséquence directe et grave du diabète, qui peut être évitée si on maîtrise mieux notre glycémie.

L'insuffisance rénale

Le diabète est aussi la cause la plus fréquente d'insuffisance rénale. Aux États-Unis, par exemple, il est responsable de près de 44 % des nouveaux cas, ce qui impose un poids énorme au système de santé, car les traitements exigent la dialyse ou la transplantation d'organe, deux interventions très lourdes et très coûteuses.

Bien que la probabilité d'insuffisance rénale augmente avec les niveaux de glucose dans le sang et la pression artérielle, cette affection peut apparaître même chez les personnes dont le diabète est maîtrisé, contrairement aux microangiopathies. Comme pour de nombreux autres phénomènes entourant le diabète, les mécanismes responsables de l'insuffisance rénale ne sont pas bien compris pour le moment. On ignore, par exemple, l'origine de la relation fondamentale entre les maladies rénales et le diabète.

Même si elles n'ont pas établi la nature de cette relation, de nombreuses études ont montré l'importance de maîtriser la pression artérielle et la glycémie pour réduire, sans complètement l'éliminer, la probabilité de souffrir d'insuffisance rénale. Voilà pourquoi la détection précoce de la maladie rénale par de simples tests d'urine est importante et fait généralement partie de la batterie d'examens effectués périodiquement sur les individus souffrant de diabète. Ces tests offrent la possibilité de réagir rapidement à toute dégradation de la fonction rénale et, dans ce cas, d'établir un contrôle strict de la pression artérielle et des niveaux de glucose. Cela permet de retarder ou de ralentir la progression de la maladie.

Les maladies cardiovasculaires et l'hypertension

Puisque le diabète affecte les vaisseaux sanguins, il touche le système cardiovasculaire de manière directe et indirecte. Ainsi, de 20 à 60 % des patients diabétiques, selon le groupe d'âge et le degré d'obésité, souffrent également d'hypertension artérielle (Meusel *et al.*, 2014).

Bien sûr, l'hypertension est une maladie en soi, une maladie qui affecte environ un milliard de personnes dans le monde, soit trois fois plus que le diabète. Malgré tout, on sait que la présence de diabète multiplie par quatre le risque de souffrir de maladies cardiovasculaires telles que l'insuffisance cardiaque, les affections vasculaires cérébrales et l'infarctus du myocarde aigu (St. Onge *et al.*, 2009). Dans l'ensemble, les maladies cardiovasculaires représentent la première cause de morbidité et de mortalité chez les diabétiques. C'est ce qui permet à de nombreux chercheurs d'affirmer que le diabète de type 2 est avant tout une maladie cardiovasculaire.

Une étude portant sur 450 000 personnes a conclu que les hommes atteints de diabète sont deux fois plus susceptibles de mourir d'une maladie coronarienne que ceux qui n'en souffrent pas, et les femmes, trois fois plus (Lopez-Jaramillo *et al.*, 2014). Les diabétiques sont, en outre, plus susceptibles de mourir après un premier infarctus du myocarde. En plus du risque accru d'accidents cardiovasculaires, l'hypertension artérielle accélère la progression de la rétinopathie et de la neuropathie associée au diabète de type 2, comme on l'a vu plus haut.

Encore une fois, les liens de causalité entre la glycémie élevée et l'hypertension ne sont pas pleinement compris. Les chercheurs ont néanmoins circonscrit plusieurs facteurs qui semblent mener, tout comme dans le cas des microangiopathies, à la formation de produits de glycation avancée. Ces produits, comme nous l'avons vu, induisent un stress qui favorise l'oxydation des lipoprotéines de basse densité (LDL, pour *low-density lipoprotein*), provoquant l'inflammation des tissus veineux et artériels. L'hyperglycémie renforce également les facteurs de coagulation et, par conséquent, augmente le risque de formation de caillots. Une glycémie élevée peut aussi réduire la vasodilatation, ce qui provoque le durcissement des parois des vaisseaux sanguins. De plus, les niveaux élevés de sucre et de glycotoxines favorisent l'athérosclérose, ce qui accroît le risque cardiovasculaire en raison de la formation, entre autres choses, de muscle lisse vasculaire. Finalement, il semble que la résistance à l'insuline, qu'on croit être au cœur du diabète de type 2, puisse engendrer une hypertrophie ventriculaire gauche par l'intermédiaire de divers mécanismes, dont l'inflammation, ce qui favoriserait la calcification des artères coronaires.

Les effets cognitifs et la maladie d'Alzheimer

Bien qu'on en parle moins, le diabète de type 2 est également associé à l'apparition de troubles neurodégénératifs (Stroh *et al.*, 2014). Selon certaines études, de 60 à 70 % des personnes atteintes de diabète présentent des symptômes neurologiques de dégénérescence. Le lien semble particulièrement fort avec la maladie d'Alzheimer : environ 35 % des personnes qui en souffrent sont diabétiques. C'est une proportion beaucoup plus élevée que dans la population mondiale ; en fait, la présence de diabète est associée à une augmentation de 65 % du risque d'être atteint de la maladie d'Alzheimer. Cette corrélation est suffisamment forte pour que certains chercheurs aient surnommé la maladie d'Alzheimer « diabète de type 3 », bien que cela soit un peu tiré par les cheveux dans l'état actuel des connaissances (Akter *et al.*, 2011).

Observer une corrélation n'équivaut pas à établir une véritable relation de causalité. Ce n'est pas parce que la vente de crème glacée suit généralement la courbe de celle de crème solaire que la consommation de l'une pousse à l'achat de l'autre. Cette corrélation ne contient aucun lien de cause à effet : les deux produits se vendent simplement plus dès l'arrivée de l'été! C'est la même chose ici. Ce n'est pas parce que les deux maladies semblent liées que l'une favorise nécessairement l'apparition de l'autre. Pour le montrer, il faut établir les mécanismes biochimiques.

Un de ces liens pourrait être l'insuline présente dans le cerveau. Elle joue notamment un rôle au niveau de l'hypothalamus et provient généralement du pancréas. Or, l'hypothalamus affecte plusieurs fonctions cognitives, dont la mémoire (Akter *et al.,* 2011). Comme on l'a vu, la résistance à l'insuline conduit, dans un premier temps, à l'hyperinsulinémie, soit une production accrue d'insuline visant à compenser une assimilation déficiente. Contrairement à ce qu'on pourrait prévoir, l'hyperinsulinémie réduit le transfert de l'insuline vers le cerveau et mène, par conséquent, à un état hypo-insulinémique dans cet organe, ce qui affecte les capacités cognitives, notamment dans les régions du lobe temporal médian, où on trouve de nombreux récepteurs d'insuline (Meusel *et al.,* 2014).

Ce n'est pas tout. Les enzymes qui dégradent l'insuline dans le cerveau sont également associées à la destruction de la protéine bêta-amyloïde, qui forme des structures neurotoxiques associées à la maladie d'Alzheimer. Or, en état d'hypo-insulinémie, le cerveau produit moins de ces enzymes, ce qui diminue sa capacité à lutter contre cette maladie. L'insuline présente dans le cerveau serait également impliquée dans la phosphorylation de la protéine tau, processus qui favorise la formation d'enchevêtrements neurofibrillaires également associés à la maladie d'Alzheimer. Un niveau d'insuline faible dans le cerveau pourrait faciliter la formation de structures neurologiques chargées de protéines bêta-amyloïdes, menant à cette maladie.

Ces voies biochimiques ne sont peut-être pas suffisantes pour établir un lien de cause à effet entre le diabète et la maladie d'Alzheimer. En effet, la carence en insuline observée dans le cerveau des individus souffrant de diabète est beaucoup moins marquée que celle qu'on observe chez les personnes atteintes de la maladie d'Alzheimer. Elle pourrait donc être insuffisante pour favoriser le développement de cette maladie, même si les diabétiques ont tendance à souffrir de troubles neurologiques proches de ceux qu'on observe dans la maladie d'Alzheimer.

L'inflammation, encore une fois, pourrait représenter un lien essentiel. Bien qu'on ignore encore si la résistance à l'insuline cause l'inflammation ou si c'est le contraire, on sait que ces phénomènes sont liés. Or, de nombreux chercheurs pensent que la maladie d'Alzheimer est également associée à des processus inflammatoires. Ici, malgré la multiplicité des mécanismes proposés, aucun lien direct n'a encore fait l'unanimité dans la communauté scientifique, et le débat continue quant à l'importance de ce lien.

Plus intéressant peut-être est le fait que des dépôts amyloïdes similaires à ceux observés dans le cerveau des personnes atteintes de la maladie d'Alzheimer, mais composés d'une protéine différente, sont détectés dans le pancréas des individus souffrant de diabète. Ces agrégats amyloïdes sont produits dans les cellules bêta pour être libérés en même temps que l'insuline. Puisqu'une concentration plus élevée de plaques amyloïdes, formées cette fois-ci de protéines bêta-amyloïdes, a également été trouvée dans l'hippocampe des patients diabétiques, plusieurs chercheurs tentent d'y voir une éventuelle relation causale.

Les liens entre les diverses maladies amyloïdes – on en

compte une vingtaine, outre la maladie d'Alzheimer et le diabète de type 2 – ne sont pas compris, et le rôle des dépôts amyloïdes dans l'apparition et l'évolution du diabète est loin d'être établi. La prolifération des îlots amyloïdes pourrait bien être une conséquence du dysfonctionnement des cellules bêta plutôt que sa cause. Rien n'est encore sûr.

Si l'insuline est vraiment la clé du lien entre le diabète et la maladie d'Alzheimer, on doit s'attendre à ce que, contrairement aux diverses microangiopathies, qui semblent se développer seulement dans les cas où la glycémie à jeun est supérieure à 7 mmol/l, la déficience cognitive puisse se produire chez les personnes qui souffrent d'hyperinsulinémie sans être encore atteintes de diabète. Pour l'instant, les données sont insuffisantes pour montrer un tel lien ou l'existence d'un seuil critique d'hyperinsulinémie.

On le voit, malgré une relation épidémiologique claire entre le diabète et les maladies cognitives, il faudra encore beaucoup de recherche avant d'établir un lien de causalité qui permettrait de limiter, d'une façon ou d'une autre, l'évolution combinée de ces maladies. Comme personne souffrant de diabète, tout ce qu'on peut faire est donc de maîtriser le mieux possible sa glycémie tout en s'adonnant à une activité intellectuelle assez soutenue pour réduire le risque de maladies cognitives. En effet, à l'instar du reste du corps, le cerveau bénéficie grandement de l'exercice !

Une maladie systémique complexe

Comme le montre ce chapitre, le diabète peut être présent de nombreuses années sans se manifester, mais il peut avoir des conséquences sérieuses sur la santé, des effets qui s'aggravent au fil du temps. De toute évidence, il reste encore beaucoup de questions à résoudre en ce qui concerne les relations entre le diabète et ces maladies et conditions. Bien qu'on sache aujourd'hui que la glycémie est la grande responsable de ces liens, la résistance à l'insuline, qui mène à l'hyperinsulinémie, semble aussi jouer un rôle, pour quelques maladies du moins. Cela signifie que, même si on maîtrise bien sa glycémie, il pourrait subsister des risques supplémentaires associés au diabète.

Cela dit, les résultats des études sont clairs : la maîtrise du diabète permet de réduire de manière considérable les risques pour la santé en général. Le problème, bien sûr, est que cette maladie n'est pas facile à freiner. Voilà pourquoi il est préférable de viser non pas la maîtrise, mais bien la guérison totale, comme on le verra dans la dernière partie de ce livre.

CHAPITRE 5

La mesure du diabète

Le diabète afflige l'humanité depuis longtemps. La première mention de cette maladie apparaît dans un manuscrit égyptien datant d'environ 3 000 ans. Plus près de nous, les deux formes de diabète principales ont d'abord été clairement définies en 1936. Initialement nommées *diabète insulinodépendant* et *diabète non insulinodépendant,* elles sont connues aujourd'hui sous la terminologie, plus simple, de diabète de type 1 et de type 2, cette dernière forme étant considérée, depuis 1988, comme un syndrome métabolique, c'est-à-dire un état qui représente un facteur de risque accru pour la santé (Olokoba *et al.*, 2012).

On l'a vu, bien que le diabète de type 2 soit caractérisé par de nombreux symptômes cliniques, tels qu'une soif fréquente et des infections difficiles à traiter, ces signes n'apparaissent que longtemps après que la maladie s'est déclarée. Comme ces symptômes sont plutôt vagues, ils ne permettent pas un diagnostic précis et ne peuvent servir de repère quant à l'évolution de la maladie. C'est pourquoi la profession médicale a déployé des efforts considérables au cours du siècle dernier afin de concevoir des tests et de définir des critères à l'aide desquels on peut suivre le diabète de plus près.

La mise au point de tels tests n'est pas une mince tâche. Il faut tout d'abord circonscrire des marqueurs qui sont associés à la maladie ou à ses symptômes et qui sont relativement constants d'un individu à un autre et dans le temps, puis déterminer les seuils critiques définissant les phases de la maladie. Un tel travail exige qu'on effectue des études statistiques étoffées sur de grandes cohortes d'individus normaux et diabétiques. Cette tâche n'est jamais complètement terminée et, alors même que vous lisez ce livre, divers groupes de chercheurs du monde entier continuent d'affiner les mesures et les méthodes d'interprétation de tests que vous connaissez bien, à la lumière des découvertes les plus récentes.

S'il manque toujours une mesure directe et claire du diabète de type 2, basée en particulier sur l'état des cellules bêta, le travail accompli au cours du dernier demi-siècle a conduit à la définition d'un certain nombre d'indicateurs qui, pris ensemble, offrent une assez bonne description de la progression de la maladie. Il y a encore place à l'amélioration, notamment sur le plan des indicateurs et des techniques de mesure, mais déjà, les outils dont nous disposons offrent la possibilité de suivre l'évolution de la maladie avec une précision jamais vue.

Les bases : la tolérance au glucose et la glycémie à jeun

Les indicateurs biologiques menant au diagnostic de diabète de type 2 ont évolué considérablement au cours des quarante dernières années, grâce à la mise au point de nouveaux tests ainsi qu'aux résultats de plusieurs études cliniques à grande échelle. Au début des années 1970, on utilisait des tests de tolérance au glucose pour diagnostiquer le diabète, une approche qui est encore employée pour détecter le diabète de grossesse. Ce test nécessite d'ingurgiter une forte dose de glucose, typiquement 75 grammes. Si, deux heures après l'ingestion, la glycémie reste élevée (11 mmol/l ou plus), c'est que le patient est diabétique.

Le défaut principal de ce test est qu'il requiert du temps. Aussi, depuis le milieu des années 1990, l'American Diabetes Association a revu sa façon de faire pour établir le diagnostic. Tout en conservant le test oral de tolérance au glucose, elle a défini un critère de diagnostic basé sur le niveau de glucose dans le sang à jeun, soit au moins douze heures après le dernier repas. Le seuil du diabète pour cette nouvelle mesure, appelée *glycémie à jeun,* a été fixé à 7,0 mmol/l, avec un seuil supplémentaire situé entre la normale (6,1 mmol/l ou moins) et le niveau diabétique, qui correspond à l'état dit *prédiabétique.*

Le seuil critique pour ces indicateurs est défini en fonction de la glycémie à partir de laquelle on observe la rétinopathie. *A priori,* ce choix paraît plutôt arbitraire, puisque le diabète favorise l'apparition de nombreuses autres maladies. Dans la pratique, ce seuil est tout à fait approprié. D'abord, puisque la rétinopathie est facile à suivre par l'intermédiaire d'un examen externe, la corrélation entre son apparition et la valeur de la glycémie est simple à établir. Ensuite, il semble que 7,0 mmol/l soit un seuil relativement bien défini à partir duquel le corps commence à perdre la maîtrise du niveau de glucose dans le sang.

L'hémoglobine A_{1c}

Bien que les tests de glycémie à jeun et de tolérance au glucose soient couramment employés, ils n'offrent qu'une mesure de la capacité de l'organisme à gérer le glucose à un moment précis. Or, les études montrent de plus en plus que les effets du diabète sur notre corps dépendent, avant tout, de la valeur moyenne du niveau de sucre dans le sang, valeur qui prend en compte le total des hauts et des bas observés jour après jour. C'est ici que la célèbre hémoglobine A_{1c} (HbA_{1c}) entre en jeu.

Le marqueur de l'HbA_{1c} a été découvert en 1955 par les médecins américains H. G. Kunkel et G. Wallenius. Ces chercheurs ont montré que l'hémoglobine humaine pouvait être séparée en diverses formes, dont les cinq premières ont été baptisées A_{1a}, A_{1b}, A_{1c}, A_{1d} et A_{1e}. Elles correspondent à différentes transformations chimiques de l'hémoglobine A, une molécule qui est présente dans les globules rouges et qui est associée au transport d'oxygène. Quinze ans plus tard, au début des années 1970, on s'est aperçu que le taux d'HbA_{1c}, qui est une molécule d'hémoglobine chimiquement liée à une molécule de glucose par un processus appelé *glycation,* était plus élevé chez les individus souffrant du diabète que chez les individus normaux. Cette molécule pouvait offrir une nouvelle façon de mesurer le taux de sucre dans le sang, et, comme la glycation stabilise le glucose, on pouvait même espérer concevoir un indicateur offrant une moyenne du niveau de glucose dans le temps.

Rapidement, en effet, des études ont montré que la concentration d'HbA_{1c} est liée à la fois à la durée de vie des globules rouges, ou érythrocytes, et à la concentration de glucose dans le sang. Puisque les érythrocytes vivent environ quatre mois, le taux d'HbA_{1c} offre une mesure directe des niveaux moyens de glucose sanguin sur une période relativement longue – quelque part entre un mois et demi et trois mois.

L'établissement de cette corrélation ne faisait pas encore de l'HbA_{1c} un indicateur fiable pour le suivi du diabète. Il a fallu multiplier les études pour faire de cette simple observation un marqueur clinique utile. Dans un premier temps, la communauté a établi un protocole pour la manipulation, la mesure et le calibrage des taux d'HbA_{1c}. Cette étape était nécessaire afin d'assurer la reproductibilité de la mesure, c'est-à-dire pour garantir que les chiffres obtenus par différents groupes se rapportent toujours à la même quantité physique. Il est difficile de sous-estimer l'importance d'un tel protocole, en particulier dans le cas d'un indicateur aussi indirect que l'HbA_{1c}.

Une fois le protocole de mesure mis en place, et il y en a eu plusieurs au début, il est devenu possible de se lancer dans les grandes études épidémiologiques qui permettraient de clarifier le lien entre l'HbA_{1c} et la maladie et de circonscrire les seuils associés à des états spécifiques du diabète (Berg et Sacks, 2008).

L'intérêt médical pour un marqueur caractéristique de la glycémie moyenne était si fort que plusieurs associations ont commencé à suggérer l'utilisation de l'HbA_{1c} avant même qu'un protocole précis soit défini. Ç'a été le cas, dès 1986, de l'American Diabetes Association, qui a recommandé que ce marqueur soit mesuré systématiquement au cours des visites semestrielles. Il s'agissait à la fois d'augmenter la quantité de données collectées et d'offrir un indice supplémentaire aux médecins pour le suivi de leurs patients.

Deux études cliniques réalisées dans les années 1990, la Diabetes Control and Complications Trial (DCCT), publiée en 1993, et la UK Prospective Diabetes Study (UKPDS), publiée en 1998, ont permis de rassembler les statistiques nécessaires pour établir une corrélation précise entre le taux d'HbA_{1c} et le diabète. Ces études ont montré une corrélation linéaire entre la valeur moyenne de l'HbA_{1c} et divers risques microvasculaires. De même, l'étude DCCT a établi qu'il y avait une réduction de près de 40 % du risque de rétinopathie chez les diabétiques de type 1 manifestant une diminution de 10 % du taux d'HbA_{1c} ; ces résultats ont aussi été observés dans l'étude du Royaume-Uni.

Durant cette période, plusieurs techniques étaient utilisées pour mesurer les niveaux d'HbA_{1c}, techniques qui donnaient des résultats variables et pas toujours bien corrélés. En l'absence d'une grille de traduction permettant de relier les résultats, il était difficile de comparer les conclusions des différentes études, ce qui diminuait l'utilité de ce marqueur. À la suite de la publication des résultats des études DCCT et UKPDS, qui montraient l'importance de l'HbA_{1c}, la pression a augmenté rapidement sur la communauté médicale pour qu'elle mette fin à cette cacophonie et qu'elle s'entende sur un protocole uniforme basé sur l'HbA_{1c}. Ce processus a exigé plus de vingt ans de travail, et ce n'est qu'au début des années 2000 que la communauté internationale a adopté un protocole de référence et un étalonnage communs. Cette entente a notamment aidé à réduire l'imprécision et les biais des tests commerciaux, augmentant de beaucoup l'intérêt du marqueur pour le suivi de tous les types de diabète.

Aujourd'hui, les médecins ont donc accès à trois marqueurs principaux (la glycémie à jeun, la glycémie postprandiale et l'HbA_{1c}) afin de caractériser les risques associés à des niveaux élevés de glucose dans le sang et de résistance à l'insuline. De ces trois marqueurs, seule l'HbA_{1c} permet d'établir une moyenne à long terme de la maîtrise de la glycémie. Pour cette raison, cet indicateur gagne rapidement en popularité, tant au cours de la phase de dépistage que pour évaluer la maîtrise globale de la maladie par le médecin, même si, au jour le jour, cette mesure est beaucoup moins utile que les deux autres.

La détermination des bonnes cibles

En dépit de son utilisation de plus en plus répandue, le taux d'HbA_{1c} n'est pas un marqueur parfait : la définition de seuils uniformes s'est avérée plus difficile dans son cas que pour la glycémie à jeun, par exemple. Même aujourd'hui, les cibles liées à l'HbA_{1c} diffèrent légèrement d'un pays à un autre ; on s'entend toutefois pour dire que les valeurs seuils devraient osciller entre 6 et 7 % (fraction de l'hémoglobine totale) et que les valeurs plus faibles sont préférables.

Cette position s'appuie sur des études à grande échelle qui ont montré que les personnes dont le taux d'HbA_{1c} est proche de ces seuils présentent un risque élevé de souffrir du diabète de type 2, même s'il faut parfois plusieurs années avant que la maladie se manifeste (Seino *et al.*, 2010). Ces études, portant sur plus de 30 000 individus, suggèrent même la présence de deux seuils, dont l'un se situe autour de 5,5 à 5,9 %, pour lesquels la fréquence de la rétinopathie commence à augmenter, passant de 0,1 à 1 % lorsque l'HbA_{1c} atteint 7 % (figure 5.1). Passé cette valeur, la fréquence de la rétinopathie grimpe en flèche, et la maladie est presque assurée.

En dépit de ses avantages, dont celui de pouvoir être effectué à n'importe quel moment de la journée, ce test ne peut être utilisé comme marqueur unique du diabète, car il varie beaucoup d'un individu à un autre, comme le montre la figure 5.2. On voit dans ce graphique que les individus *normaux* peuvent avoir un taux d'HbA_{1c} qui fluctue entre 5

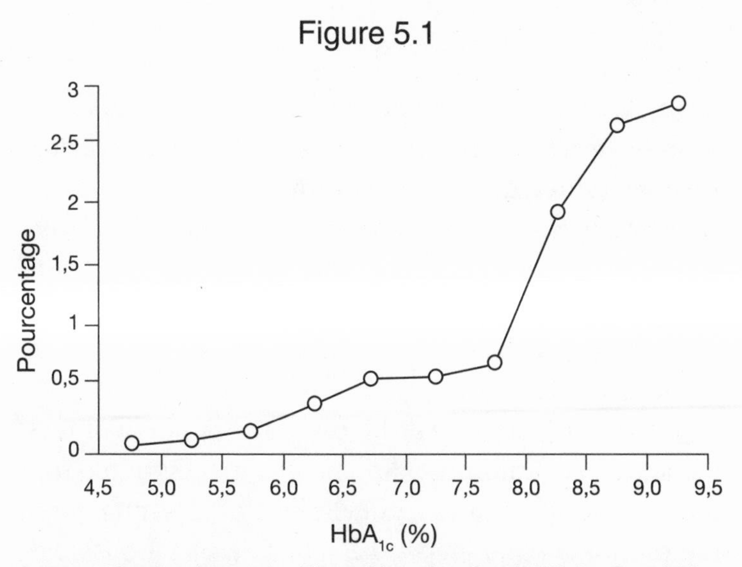

Augmentation des risques de rétinopathie en fonction de l'HbA_{1c}. On voit bien l'augmentation en trois régimes : sous 6 %, où les risques sont faibles (individus normaux), entre 6 et 7,7 %, où les risques deviennent notables, et au-dessus, où on observe une explosion des risques liés à la rétinopathie. D'après Seino *et al.* (2010).

Figure 5.2

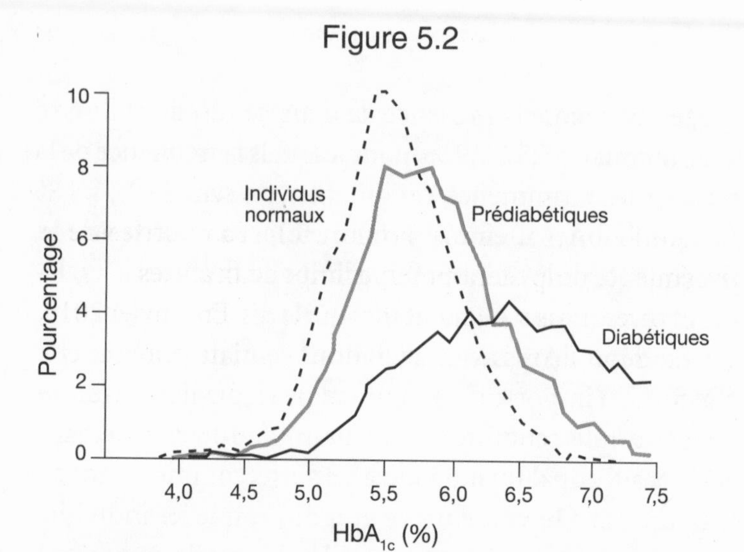

Distribution de la valeur de l'HbA$_{1c}$ chez certains groupes d'individus. En pointillé, des individus normaux (6 720 participants), en gris, des gens prédiabétiques (6 296 participants), et en noir, des diabétiques (5 040 participants). D'après Seino *et al.* (2010).

et 6,5 %, avec une queue qui s'étire au-delà de 7,0 %. On observe une variation encore plus grande chez les individus prédiabétiques, qui présentent une distribution décalée caractérisée par une largeur importante : de 5 à 7 %. L'éventail des valeurs possibles pour l'HbA$_{1c}$ est encore plus vaste, bien sûr, chez les diabétiques, dont la répartition vers des valeurs significativement plus élevées est extrêmement révélatrice.

La grande variation de l'HbA$_{1c}$ entre les individus est liée à un certain nombre de facteurs qui ne sont pas tous compris, dont la vitesse à laquelle les globules rouges sont remplacés, taux qui dépend à la fois du métabolisme de chacun ainsi que de divers déterminants externes. Il est donc impossible de se contenter de l'HbA$_{1c}$ pour diagnostiquer et suivre le diabète.

Cela signifie-t-il qu'on ne devrait pas utiliser ce test ? Certainement pas ! S'il est mieux standardisé et si on comprend mieux ses limites, cet indicateur s'avérera un outil particulièrement efficace pour évaluer la maîtrise de la glycémie et complétera à merveille les deux autres.

Et ce n'est pas seulement moi qui le dis. En janvier 2010, par exemple, l'American Diabetes Association a proposé d'inclure l'HbA_{1c} dans la définition des diagnostics de la maladie. Pour cette association, le facteur HbA_{1c} est normal s'il se situe sous 5,7 %. Au-dessus de 6,5 %, l'individu est considéré comme diabétique, et comme prédiabétique si on observe chez lui une valeur intermédiaire.

Les autres indicateurs

En plus du niveau de sucre dans le sang, mesuré directement ou indirectement, on recommande généralement de suivre la pression artérielle de près chez les individus diabétiques puisque, on l'a vu, les accidents cardiovasculaires sont la première cause de décès chez eux. De plus, des études crédibles confirment qu'une augmentation aussi faible que 5 mm Hg de la pression artérielle par rapport aux valeurs standard est suffisante pour accroître de 20 à 30 % le risque d'incident cardiovasculaire. À l'inverse, une diminution de 10 mm Hg engendre une baisse moyenne de 10 à 15 % des complications et des décès liés au diabète[1].

1. Oui, je sais, les chiffres ne sont pas symétriques, mais je vous assure que je n'ai rien à voir là-dedans !

Ces observations expliquent en grande partie les directives standard qui imposent des cibles de pression artérielle plus basses pour les personnes touchées par le diabète que pour le reste de la population. Alors que les valeurs maximales normales sont fixées à 140/90 mm Hg, elles sont ramenées à 130/80 mm Hg pour les diabétiques. Ces objectifs imposent des contraintes supplémentaires aux diabétiques. Or, des études récentes suggèrent qu'il n'y a pas de raisons épidémiologiques d'établir une cible inférieure pour les diabétiques de type 2. En effet, les risques accrus liés à la pression augmentent en phase avec les valeurs définies pour la population générale. Voilà pourquoi, par exemple, les lignes directrices européennes recommandent maintenant de cibler, pour les diabétiques, les mêmes limites que pour les autres patients au chapitre de la pression artérielle, soit 140/90 mm Hg.

Ce débat est un peu théorique, toutefois, car, pour plusieurs d'entre nous, le problème est de s'assurer de maintenir la pression artérielle sous 140/90 mm Hg. Et là se trouve le véritable défi : en dépit du grand nombre de médicaments accessibles, il est très difficile de maîtriser la pression artérielle.

Conclusion

Bien que les seuils décrivant l'évolution de la maladie soient aujourd'hui relativement bien établis, il n'existe toujours pas d'indicateur précis permettant de repérer tôt les personnes les plus susceptibles d'avoir le diabète. Les critères actuels se rapportant à l'état prédiabétique, par exemple, aident à circonscrire les populations les plus à risque, mais pas à évaluer, à l'échelle individuelle, le risque de souffrir du diabète à court, à moyen ou à long terme.

Les indicateurs ont aussi leurs limites quand vient le temps d'aider le patient à maîtriser son diabète. Ces marqueurs ne mesurent que les effets de la maladie, généralement le taux de glucose, et non pas les processus physiologiques fondamentaux qui en sont responsables. On a donc encore besoin de marqueurs simples associés à la résistance à l'insuline et à sa production, ainsi qu'à l'état des cellules bêta. Ces mesures permettraient de suivre directement la qualité de la gestion du sucre par le corps et seraient très utiles pour établir la valeur des nouveaux traitements visant à s'attaquer directement aux processus responsables du diabète de type 2. Certains de ces tests existent déjà, mais ils sont complexes, souvent indirects, et ne sont pas utilisés de façon régulière. Cette situation doit changer si on veut vraiment juguler l'épidémie mondiale de diabète de type 2.

CHAPITRE 6

L'évolution de la maladie

L'apparition du diabète est principalement associée à l'obésité et au style de vie sédentaire. Bien qu'ils ne soient pas transmissibles génétiquement, les changements liés aux habitudes alimentaires et au mode de vie observés partout dans le monde ont mené à une croissance épidémique de la maladie. Selon l'Association internationale du diabète, celle-ci affecterait aujourd'hui 370 millions de personnes; c'est 5 % de la population de la planète[1]. Et on prévoit que cette proportion pourrait doubler d'ici 2030, pour atteindre 10 % de la population (Glauber et Karnieli, 2013). Au cours des prochaines années, le diabète imposera donc un fardeau économique immense aux systèmes de santé, en plus d'appauvrir la qualité de vie d'une fraction importante de la population âgée. Déjà, il engendre des dépenses de près de 500 milliards de dollars en santé à l'échelle mondiale, soit 11 % des dépenses globales liées à ce créneau chez les adultes ! Et ce n'est que le début : avec le vieillissement

1. International Diabetes Federation, *IDF Diabetes Atlas,* 2012, 5e édition, www.idf.org/diabetesatlas/5e/Update2012.

des personnes affectées par cette maladie et les nouveaux cas qui s'ajouteront au cours des prochaines années, la facture risque de croître encore plus rapidement que l'évolution de la maladie puisque, même lorsqu'il est traité, le diabète continue de progresser.

Si cet avenir semble sombre pour le système de santé, il est aussi effrayant pour chacun de nous, puisque nous faisons partie de ces statistiques. Comprendre l'évolution typique de la maladie est donc une façon de contempler notre avenir, ce qui nous amène à découvrir que certaines nouvelles très désagréables nous attendent. Il est tentant d'éviter de regarder dans cette boule de cristal et de prétendre que tout ira bien. Ce serait oublier que l'avenir n'est pas déterminé et qu'il est possible de trouver, dans ces mauvaises nouvelles, la volonté d'apporter les changements qui s'imposent à notre mode de vie afin de limiter, de retarder, voire, comme je l'indiquerai plus tard, de transformer ces prévisions pour leur donner une fin heureuse.

Les débuts de la maladie

Nous découvrons que nous sommes diabétiques cinq ans en moyenne après que la maladie a commencé à frapper. Mais comment en arrivons-nous là ? Il y a relativement peu d'études sur le sujet, car la réponse à cette question nécessite le suivi de grandes cohortes sur de longues périodes et l'accumulation de nombreux indicateurs visant à établir les corrélations les plus pertinentes à mesure qu'on progresse vers le diabète.

Il existe tout de même une poignée de recherches qui

fournissent quelques éléments de réponse. Ainsi, une étude à l'échelle planétaire montre que le niveau moyen de glucose à jeun mesuré chez plus de 2,7 millions de participants du monde entier a augmenté de 0,15 mmol/l en vingt ans pour atteindre aujourd'hui environ 5,5 mmol/l chez les hommes et 5,4 mmol/l chez les femmes âgés de vingt-cinq ans (Danaei *et al.*, 2011). Comme cette moyenne comprend des individus normaux, des prédiabétiques et des diabétiques, elle nous renseigne avant tout sur la difficulté croissante qu'a l'humanité à maîtriser son taux de sucre.

Lorsqu'ils se concentrent sur le groupe des individus non diabétiques, les chercheurs constatent que la glycémie à jeun normale est comprise entre 5,1 et 5,2 mmol/l, comme l'observe, par exemple, une étude britannique menée auprès de plus de 6 500 fonctionnaires, la plupart des hommes caucasiens (Tabák *et al.*, 2009). Cette étude montre aussi, et c'est ce qui nous intéresse, l'évolution du taux de glucose dans les années qui précèdent le diagnostic. Dans la figure 6.1, nous observons une hausse constante, mais lente, des niveaux de glucose des années avant que le diabète se déclare. Ainsi, on repère déjà des problèmes de gestion du glucose treize ans, en moyenne, avant le diagnostic. Durant ces premières années, de treize à cinq ans avant le diagnostic, ces valeurs restent tout de même dans la gamme dite normale, sous les seuils de prédiabète.

En fait, le stade prédiabétique n'est atteint, pour ceux qui deviendront diabétiques, que quelques années avant que la maladie se déclare. Dans les cinq ou six années précédant le diagnostic, la glycémie à jeun commence à augmenter en douceur. La perte de maîtrise semble survenir d'abord dans la tolérance au glucose, avec un saut brutal

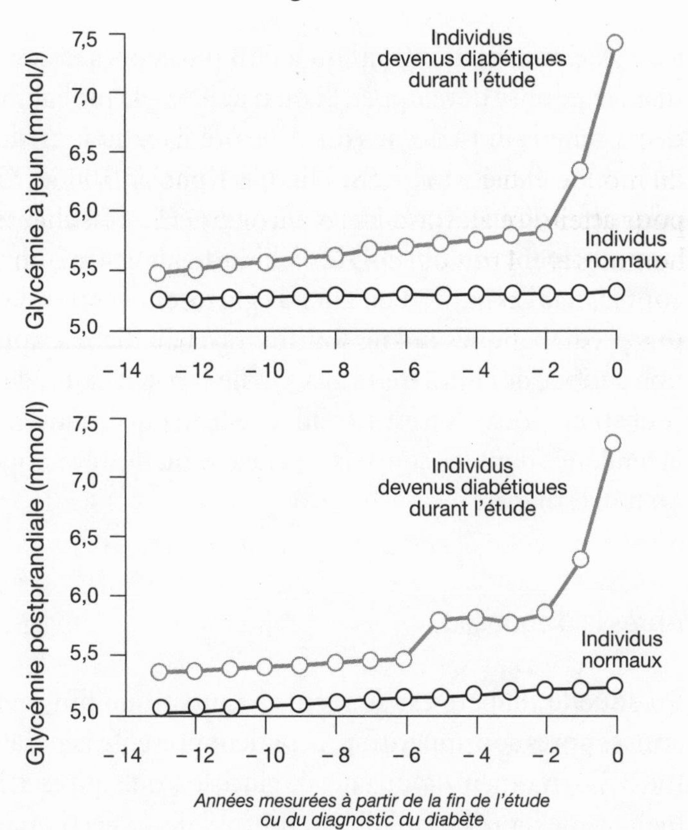

Évolution de la valeur moyenne de la glycémie à jeun (figure du haut) et après un test de glucose (figure du bas) pour des individus normaux (ligne noire) et des diabétiques dans les années précédant le diagnostic (ligne grise). D'après Tabák *et al.* (2009).

quatre ou cinq ans avant que le diabète apparaisse. À ce stade, les valeurs se maintiennent à l'intérieur de la fourchette du prédiabète, mais on sent qu'un changement catastrophique est en train de se produire dans la gestion du glucose : les cellules bêta doivent travailler de plus en plus fort pour maintenir la glycémie proche des valeurs attendues.

Ces données montrent qu'il faut plusieurs années au diabète pour se développer. Si on n'agit pas, la probabilité de passer en cinq à dix ans du stade prédiabétique au diabète reste élevée, même si elle n'est pas de 100 %. Or, comme les données présentées à la figure 6.1 ne distinguent les participants qu'une fois le diabète diagnostiqué, on ne connaît pas l'évolution du taux de glucose chez les individus prédiabétiques qui ne souffrent pas du diabète après une période de cinq à treize ans. On ne sait rien, donc, de la probabilité, lorsqu'on est au stade prédiabétique, d'inverser la tendance dans les courbes de glucose ou de développer ou non le diabète.

Après le diagnostic

Puisque le diabète est souvent diagnostiqué plusieurs années après son apparition, le patient présente généralement, à ce moment-là, un taux de glucose à jeun qui est déjà bien au-dessus du seuil de 7,0 mmol/l. Pour certains, ce sera 7,5, pour d'autres, 20 mmol/l ou plus. Dans mon cas, il était de 14,5 mmol/l, plus de deux fois le seuil critique.

Pour la plupart d'entre nous, le diabète commence vraiment à ce moment. Passé le choc, les premières questions sont généralement : que dois-je faire ? à quoi dois-je m'attendre ? Dans mon cas, je n'ai reçu presque aucune information de la part de mon médecin. Il m'a simplement dit : « Votre diabète est une maladie dégénérative, il n'y a rien que vous puissiez faire pour guérir. Toutefois, l'exercice et une meilleure alimentation vous permettront de mieux le maîtriser. »

Ce n'était pas très utile. Que voulait vraiment dire « mieux le maîtriser » ? À quelle évolution devais-je m'attendre ? Quels étaient les médicaments que je devrais prendre à long terme ? Étais-je condamné à, un jour, passer à l'insuline ?

Il s'avère que mon médecin avait de bonnes raisons de se montrer évasif. En effet, il est presque impossible de répondre à ces questions à l'échelle individuelle. L'évolution du diabète de type 2 n'est pas totalement prédéterminée. Elle dépend de plusieurs facteurs, dont la génétique du métabolisme, les choix de l'équipe médicale et, bien sûr, la capacité de changer notre mode de vie. C'est pourquoi on trouve si peu d'information, dans les livres ou les sites portant sur le diabète, au sujet de l'évolution de la maladie. Pourtant, il me semble essentiel de savoir à quoi nous devons nous attendre.

L'étude UK Prospective Diabetes est une source importante de données sur l'évolution de la maladie après le diagnostic. La figure 6.2, qui rapporte certains de ses résultats, montre l'évolution du taux de glucose à jeun durant les douze années qui suivent un diagnostic. La moyenne est établie pour trois groupes distincts : les personnes qui étaient à la limite entre les états prédiabétique et diabétique au début de l'étude (de 6,6 à 7,4 mmol/l – les cercles gris), celles qui affichaient une glycémie à jeun intermédiaire (de 8,3 à 9,4 mmol/l – les cercles noirs) et celles ayant un taux de glucose sanguin plus élevé (de 11,6 à 15,7 mmol/l – les triangles). Ce dernier groupe, sans surprise, représentait les deux tiers des individus testés.

Pour établir la glycémie à jeun, tous les participants ont d'abord passé trois mois sans médicaments ; ils ne maîtri-

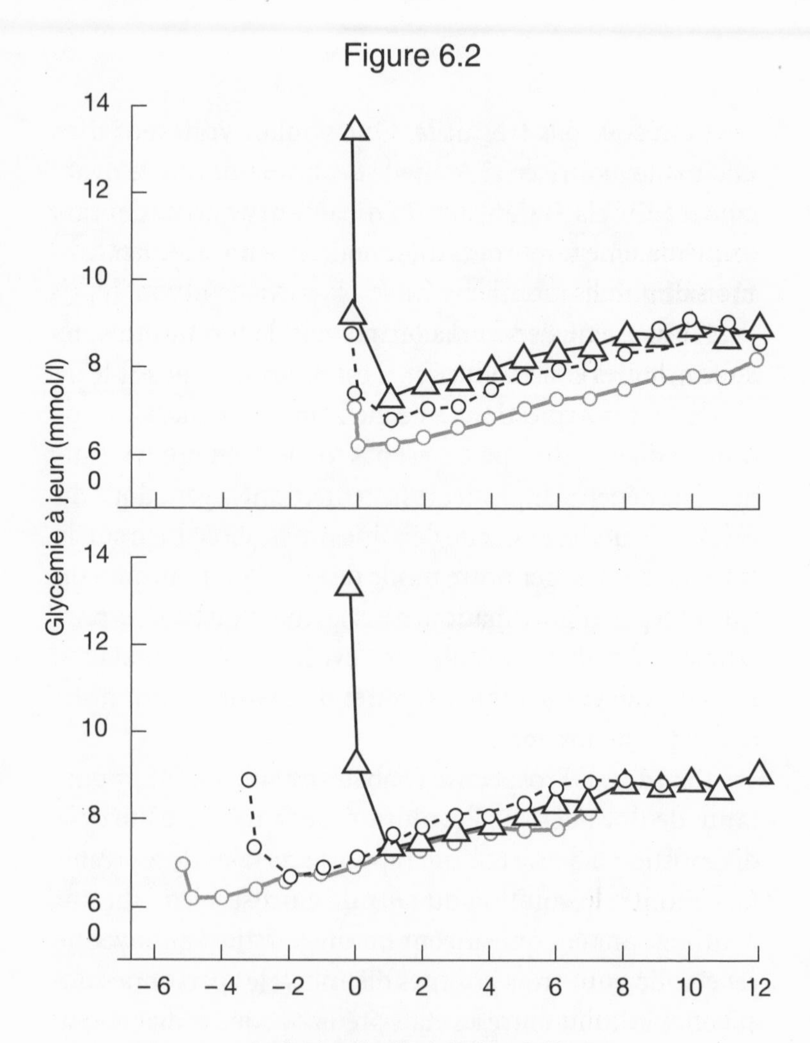

Évolution de la glycémie à jeun à partir du début de l'étude (trois mois sans médication et douze années de suivi). Les patients sont divisés en trois groupes, en fonction de leur glycémie au début de l'étude : de 6,6 à 7,4 mmol/l (cercles gris), de 8,3 à 9,4 mmol/l (cercles noirs) et de 11,6 à 15,7 mmol/l (triangles). Graphique du bas : données décalées qui permettent de ramener, sur la même ligne, l'évolution de la maladie pour les trois groupes. D'après Colagiuri *et al.* (2002).

saient leur glycémie que par l'alimentation. Pour limiter les effets sur la santé, les participants dont la glycémie à jeun dépassait 15,7 mmol/l durant cette phase de l'étude ont été immédiatement retirés et traités médicalement. Après trois mois de stabilisation, l'ensemble des participants ont repris leur traitement standard, comprenant la metformine, les sulfonylurées et l'insuline.

L'évolution de la glycémie pour les trois groupes, telle que rapportée dans la figure 6.2, suggère une trajectoire étonnamment déterminée pour la progression du diabète de type 2. Après trois mois sans contrôle médicamenté du taux de glucose, la prise de médicaments provoque une diminution rapide et significative de la glycémie à jeun : baisse de 0,8 mmol/l dans le groupe affichant le taux le plus faible et de 4,1 mmol/l dans le groupe présentant la glycémie la plus élevée (Colagiuri *et al.*, 2002).

Au fil des ans, l'écart initial dans la glycémie à jeun entre les divers groupes persiste. On pourrait penser que cette différence résulte d'une prise en charge plus rapide qui permet de ralentir l'évolution de la maladie. Or, ça ne semble pas être le cas. Comme le montre le graphique du bas de la figure 6.2, la différence entre les groupes est simplement attribuable au fait que la maladie a été diagnostiquée plus ou moins rapidement après son apparition. En déplaçant les courbes pour les aligner non pas sur le moment du diagnostic, mais sur celui correspondant au début du diabète, on découvre que la glycémie chez tous les groupes participants évolue au même rythme. Les traitements, au mieux, permettent de retarder un peu la progression de la maladie, mais n'altèrent pas son développement. La glycémie moyenne évolue donc de manière prévisible et augmente systématiquement au fil du temps, indépendamment du moment où le traitement a commencé.

Cette évolution, inévitable avec le traitement actuel, fait que, sur plus de 4 000 patients souffrant du diabète suivis au cours de l'étude de l'UKPD, seulement 115 – moins de 3 % – ont réussi à maintenir une glycémie à jeun inférieure à 6 mmol/l neuf ans après le diagnostic. Les chiffres sont un peu meilleurs, bien sûr, si on accepte un seuil plus élevé, disons 7,8 mmol/l, mais ils n'en demeurent pas moins insatisfaisants. Si, au début, un peu plus de 50 % des participants réussissent à répondre à ce critère avec un seul médicament (metformine, insuline ou sulfonylurée), après neuf ans, moins d'un quart des participants utilisant des médicaments parviennent à se maintenir sous le seuil de 7,8 mmol/l, une proportion qui atteint 40 % chez ceux qui emploient aussi de l'insuline. Ces pourcentages tombent à 20 et à 25 % respectivement lorsqu'on ajoute un deuxième critère et qu'on exige également une valeur d'HbA_{1c} inférieure à 7,0 %. Selon l'étude, seule l'utilisation d'une thérapie combinée incluant l'insuline permet de conserver une valeur d'HbA_{1c} de 7 % ou moins neuf ans après le diagnostic. Au bout du compte, toutefois, on peut conclure que, neuf ans après le diagnostic, la grande majorité des diabétiques aura perdu la maîtrise de sa glycémie.

Ces résultats proviennent d'une seule et unique étude qui date déjà d'une quinzaine d'années. Ils ne tiennent donc pas compte des traitements qui ont été introduits depuis. Cela dit, les perspectives des personnes souffrant de diabète de type 2 ne se sont pas beaucoup améliorées, car les traitements actuels tentent toujours de maîtriser la glycémie plutôt que de s'attaquer aux causes profondes de la maladie. Encore aujourd'hui, la plupart des médicaments atténuent, au mieux, l'effet de la résistance à l'insuline et de sa production défaillante en limitant la production de glucose et en facilitant l'absorption de l'insuline. Presque aucun médicament ne vise à corriger directement la résistance à l'insuline ou, encore mieux, à remettre en selle les cellules bêta, qui continuent de mourir doucement, réduisant irrémédiablement la capacité de l'organisme à produire de l'insuline et à maintenir les bons niveaux de glucose dans le sang.

Une évolution inévitable ?

La progression du diabète de type 2 se déroule en plusieurs étapes qui commencent bien avant le diagnostic. Dans la première phase, le corps perd lentement sa capacité à maîtriser précisément le niveau de glucose dans le sang. Pendant cette période, qui dure des années, la glycémie à jeun est encore près de la normale et ne cause pas de problèmes physiologiques. À un moment, cependant, il semble y avoir une rupture catastrophique dans le mécanisme de contrôle qui conduit alors au diabète de type 2. Cette phase, pour le moment, reste encore très mal comprise, et il est toujours impossible de déterminer *a priori* qui, parmi les prédiabétiques, passera à ce stade. À partir du moment où le diabète de type 2 s'installe, il semble que la trajectoire suive un scénario bien défini se déroulant sur une période de dix à vingt ans. Quels que soient les médicaments utilisés (ceux-ci peuvent, au mieux, retarder l'évolution de la maladie de quelques mois ou de quelques années), il devient impossible de conserver une glycémie acceptable sans passer à l'insuline.

Cette évolution reflète une moyenne établie sur un grand nombre de participants à diverses études. Elle décrit donc la voie d'un diabétique fictif, résultant d'une foule de trajectoires individuelles, toutes différentes. Les données rapportées par l'étude UK Prospective Diabetes confirment toutefois que très peu d'individus réussissent à éviter cette progression, même s'ils ont été soumis au traitement recommandé par la communauté médicale et les diverses associations nationales du diabète. Nous regarderons ce traitement plus en détail dans la prochaine section.

DEUXIÈME PARTIE

LA MAÎTRISE DE LA MALADIE

CHAPITRE 7

Les directives générales

Comme vous le savez probablement si vous êtes prédiabétique ou diabétique de type 2, le milieu médical et les grandes associations de diabète de partout dans le monde ont conçu un ensemble de directives standardisées pour traiter cette maladie. Leurs recommandations ont été élaborées en collaboration avec des spécialistes – médecins et chercheurs – et sont généralement adoptées par les intervenants qui gravitent autour des patients.

Bien qu'on observe quelques différences mineures entre les directives des diverses associations nationales ou régionales, les principales recommandations sont les mêmes dans le monde entier et visent la maîtrise du niveau de sucre dans le sang, tel que défini par un des indicateurs que nous avons vus (glycémie à jeun, glycémie postprandiale, HbA_{1c}), afin d'atténuer les effets néfastes de la dégénération du pancréas.

Pour atteindre cet objectif, les experts ont circonscrit des recommandations qui visent quatre fronts : l'alimentation, l'exercice physique, les médicaments et l'autosurveillance. Je couvrirai les deux premiers dans ce chapitre et parlerai des deux autres par la suite, en leur réservant chacun leur propre chapitre.

Une fois que nous aurons vu le traitement recommandé, nous pourrons évaluer son efficacité. Comme nous le constaterons, celle-ci est loin d'atteindre le niveau souhaité.

L'alimentation

Le lien entre les aliments et la glycémie est assez simple. Le glucose est un vecteur d'énergie pour le corps, un moyen pour celui-ci de stocker et de transporter l'énergie. Lorsque la nourriture est ingérée, les glucides complexes – les féculents – sont décomposés en glucose directement pendant le processus de digestion, tandis que d'autres composants, comme les protéines, sont soumis à une transformation plus complexe par le foie et les reins, processus qui génère lui aussi en partie du glucose. Ce dernier est ensuite distribué par le sang vers les organes, leur fournissant l'énergie dont ils ont besoin pour fonctionner. Au niveau de 5 mmol/l, et considérant que nous avons environ cinq litres de sang dans le corps, cela signifie que quelque 5 grammes de glucose, l'équivalent d'une cuillère à thé ou d'un morceau de sucre, sont constamment dans le sang. Ce n'est pas beaucoup, bien sûr, mais l'organisme est dynamique, et le glucose est remplacé dès qu'il est utilisé.

Évidemment, la concentration de glucose dans le sang fluctue. Lorsqu'on mange, une partie du glucose plus facilement accessible peut être transférée directement dans le sang avant d'avoir été stockée dans l'organisme sous forme de glycogène. Puisque tous les aliments n'ont pas la même composition, le type et la quantité de nourriture ingérée auront un effet direct sur la glycémie observée à la fin d'un repas. Manger mieux consiste donc à sélectionner des aliments et des quantités qui permettront d'éviter une augmentation démesurée du taux de glucose sanguin immédiatement après le repas, mais aussi durant des périodes plus longues.

L'obésité et le surpoids jouent, on l'a vu, un rôle important dans la capacité de l'organisme à gérer le glucose. C'est la raison pour laquelle les guides de nutrition visent également la perte de poids. En prime, celle-ci favorise l'activité physique, une autre composante essentielle de la maîtrise de la glycémie.

Les conseils nutritionnels offerts à ceux qui se découvrent diabétiques suivent généralement les recommandations qui s'adressent à la population générale. C'est le cas, par exemple, au Canada, où l'Association canadienne du diabète s'appuie essentiellement sur les recommandations nutritionnelles du *Guide alimentaire canadien* :

1. *Manger trois repas par jour à des heures régulières, généralement à pas plus de six heures d'intervalle.* L'idée est d'essayer d'aplanir les fluctuations du taux de glucose. Dans certains cas, on recommande même d'ajouter quelques petites collations santé pour limiter les portions à l'heure des repas.
2. *Éviter ou, à tout le moins, limiter les sucres* qui sont directement absorbés dans le sang et qui contribuent à des augmentations rapides de la glycémie : sodas, jus de fruits, sucre, bonbons, confitures, miel, desserts.
3. *Éviter ou limiter les aliments riches en matières grasses* comme les aliments frits, les pâtisseries, les viandes grasses

et, bien sûr, les frites. Le gras ne contribue pas directement à l'augmentation de la glycémie puisque sa conversion en énergie par le corps est plutôt lente. Cependant, la graisse contient une grande quantité d'énergie et contribue au gain de poids, l'une des causes du diabète.

4. *Manger plus de légumes.* Ils contiennent peu de calories et de sucre, mais renferment de nombreux éléments nutritifs et des fibres utiles (par définition, les fruits à faible teneur en sucre, comme les tomates, sont généralement considérés comme des légumes). Ils peuvent donc servir de coupe-faim en remplissant l'estomac. Voilà pourquoi les directives standard recommandent que la moitié de l'assiette, à chaque repas, se compose de légumes, ce qui ne doit pas inclure les pommes de terre, considérées, dans ce cas-ci, comme des féculents.

5. *Manger des aliments riches en fibres.* Les fibres ralentissent la digestion, ce qui contribue à faire baisser la glycémie. Elles ont aussi un effet positif sur le cholestérol. On les trouve dans les grains complets, ainsi que dans les lentilles, les haricots secs, les légumes et les fruits. En raison des risques cardiovasculaires élevés associés au diabète, les recommandations quotidiennes pour les fibres sont généralement de 25 à 50 grammes pour les diabétiques, soit jusqu'à deux fois plus que la cible de 25 grammes pour les personnes normales.

6. *Varier les sources de protéines.* Les protéines sont des nutriments importants qui sont absorbés lentement et qui sont relativement pauvres en calories. On les trouve dans la viande, mais aussi dans le poisson, le fromage, les œufs, les noix et le tofu.

Ces recommandations nutritionnelles sont très simples et devraient, en bonne partie, être suivies par tous, qu'on souffre ou non de diabète, afin d'aider à maintenir un poids santé et d'assurer chaque jour à l'organisme une portion adéquate de nutriments. Cependant, ces conseils génériques ne doivent être considérés que comme le début d'une transformation du régime de vie. Puisque le diabète est une maladie complexe, les associations recommandent également aux personnes qui en sont affectées de consulter un diététicien pour obtenir des conseils personnalisés, surtout si elles ne parviennent pas à garder leur glycémie sous les valeurs cibles.

Le fait de manger mieux ne guérira pas votre diabète, mais contribuera à réduire plusieurs risques associés à la maladie, comme l'hypertension, en diminuant le taux de sucre dans le sang. Une meilleure alimentation peut également ralentir la progression de la maladie : elle réduit la pression sur le pancréas en limitant les montées de sucre qui poussent les cellules bêta à la surproduction d'insuline.

L'exercice physique

L'exercice contribue à diminuer la résistance à l'insuline et à améliorer son absorption, à augmenter la masse musculaire et à favoriser la maîtrise du poids. La plupart des associations de diabète conseillent donc que nous suivions, au moins, la recommandation générale d'organismes tels que Santé Canada : 150 minutes d'activité par semaine. Ces activités incluent la marche rapide, le jogging, les escaliers, le vélo, la natation, le tennis, etc.

L'effet de l'activité physique sur la glycémie est rapide et notable. Toutefois, en règle générale, il ne se fait pas sentir très longtemps. Vous devez donc maintenir un horaire d'exercice relativement régulier afin d'en profiter pleinement. Et l'exercice que vous choisissez doit être assez intense pour que vous le sentiez. Il faudra beaucoup plus qu'une balade de trente minutes pour que votre corps commence à changer !

Bien qu'on en parle moins, il est important de ne pas vous limiter aux exercices aérobiques. L'augmentation de la masse musculaire facilite l'absorption de l'insuline en plus d'accélérer le métabolisme total, ce qui permet de brûler plus de calories pendant toute la journée, et pas seulement pendant les périodes d'activité physique. Il faut donc vous assurer d'ajouter des exercices de résistance musculaire à votre programme d'entraînement.

Il n'y a pas moyen d'éviter l'activité physique si vous voulez maîtriser votre glycémie. Vous devez bouger sérieusement, et au moins de deux heures et demie à trois heures par semaine. Trouvez quelque chose que vous aimez et explorez de nouveaux sports. Vous pourriez vous découvrir des affinités pour des activités que vous n'auriez jamais considérées et rencontrer des gens qui pourraient vous aider à rester motivé. Assurez-vous également d'intégrer ces activités à votre emploi du temps et de planifier vos autres tâches en conséquence. C'est la seule façon de vous assurer de faire, semaine après semaine, les exercices physiques dont vous avez besoin.

Abandonnez vos mauvaises habitudes

Les recommandations des associations de diabète portent également sur d'autres aspects de la vie. Oui, je sais, on finit par se sentir suivi par Big Brother ou les services secrets, mais on ne peut pas passer à côté.

Tout d'abord, vous devriez éviter ou arrêter de fumer. Ce n'est pas une recommandation terriblement originale de nos jours. On sait depuis longtemps que le tabagisme est mauvais pour la santé, même lorsque tout va bien. Combiné avec le diabète, le fait de fumer a des effets dévastateurs : il cause l'augmentation de la pression artérielle, fragilise l'organisme et rend l'activité physique plus difficile. Le problème, bien sûr, c'est qu'il est très facile de prendre du poids lorsqu'on arrête de fumer, ce qui peut également aggraver le diabète.

Heureusement, il existe plusieurs aides pour arrêter de fumer. Parmi celles-ci, la cigarette électronique semble donner des résultats intéressants; les risques qui lui sont associés paraissent beaucoup plus faibles que ceux liés à la cigarette ordinaire. On peut aussi se tourner vers des approches comme les inhalateurs et les timbres de nicotine. Sur ce point, cependant, je ne peux fournir aucun soutien vraiment significatif, car je n'ai jamais aimé le goût de la cigarette, me contentant d'un cigare de temps en temps. Je ne peux que vous conseiller d'utiliser tous les moyens qui sont à votre disposition pour arrêter de fumer, tout en gardant un œil sur votre poids pendant le sevrage.

Quant à l'alcool, c'est un produit que vous devriez consommer avec modération. Tout d'abord, l'alcool est une toxine. Son élimination par le corps impose un coût à plusieurs organes, comme le pancréas, le foie et les reins. Puisque ces organes sont déjà affaiblis lorsqu'on souffre de diabète, il est important d'éviter de leur infliger un stress supplémentaire. Sur un plan plus immédiat, l'alcool a un effet complexe sur l'organisme, car il abaisse la glycémie et induit des épisodes hypoglycémiques même plusieurs heures après avoir été ingéré. Comme les cocktails contiennent beaucoup de sucre et favorisent l'augmentation de la glycémie, votre taux de sucre risque de suivre un parcours en montagnes russes si vous buvez, alors méfiez-vous !

En règle générale, on conseille d'adhérer aux recommandations d'usage : la consommation hebdomadaire d'alcool ne devrait pas dépasser l'équivalent de quinze verres pour un homme et de dix verres pour une femme. Ces nombres ne doivent pas être considérés comme un objectif, mais comme une limite supérieure, surtout si votre glycémie n'est pas maîtrisée. Pour limiter l'effet rapide de l'alcool sur votre niveau sanguin de sucre, vous devriez, suivant les recommandations générales, éviter de boire alors que votre estomac est vide. Donc, assurez-vous de manger quelque chose lorsque vous buvez, surtout si vous utilisez de l'insuline.

Ici encore, puisque je ne consomme pas plus de quelques verres par semaine, je ne peux pas offrir de conseils pertinents à ceux qui dépassent les normes. Cependant, je vous donnerai un avis : vous n'avez pas besoin d'alcool pour vous sentir bien. Essayez plutôt la dopamine générée par l'activité physique. C'est plus sain et presque aussi efficace…

La perte de poids

Le fait de manger mieux tout en augmentant votre activité physique devrait vous aider à perdre du poids. Dans la plupart des cas, les associations vous recommandent de perdre l'équivalent de 5 à 10 % de votre poids après avoir reçu un diagnostic de diabète, afin de mieux maîtriser votre glycémie. Si, par exemple, vous pesez 200 livres, une perte de 5 % correspond à seulement 10 livres. Cependant, il ne faut pas vous leurrer : cet objectif est à la fois peu ambitieux et très difficile à atteindre. Nous savons tous, en effet, que si perdre du poids était facile, nous ne serions plus obèses ou en surpoids depuis longtemps !

En dépit des difficultés inhérentes à la perte de poids, il se trouve, comme nous le verrons dans la section suivante, que ces lignes directrices sont insuffisantes pour vraiment maîtriser notre glycémie. Plusieurs études montrent que des objectifs beaucoup plus stricts de perte de poids peuvent remplacer les médicaments de manière très efficace et même nous guérir de cette maladie. Mais n'allons pas trop vite. Nous y reviendrons dans la prochaine section.

Pour une bonne cause

Un diagnostic de diabète est un signal clair que notre corps ne peut pas survivre à notre mode de vie et à nos habitudes. Non pas que ceux-ci soient nécessairement pires que ceux du voisin. Il s'avère simplement que vos organes et les miens sont plus fragiles ou plus sensibles à nos choix, choix auxquels nous tenons. Pour notre santé, nous devons accepter cette réalité et apporter des changements notables à notre quotidien.

Pour certains, les changements recommandés par les diverses associations de diabète seront suffisants, au moins un certain temps, pour maîtriser la maladie. Pour d'autres, il faudra aller vers un traitement médicamenté, comme nous le verrons dans les prochaines pages.

CHAPITRE 8

Les médicaments

Comme je l'ai indiqué au chapitre précédent, la première phase du traitement du diabète consiste à changer notre mode de vie, à perdre du poids, à modifier notre régime alimentaire et à augmenter nos activités physiques. Lorsque ça ne suffit plus, ou lorsque le diagnostic arrive alors que la maladie est trop avancée, comme dans mon cas, on doit prendre des médicaments.

En général, le traitement commence avec des agents hypoglycémiants comme les biguanides (metformine) ou, en cas de contre-indication ou d'intolérance, les sulfamides hypoglycémiants (sulfonylurées). Lorsque la maladie progresse, il devient en général impossible de maîtriser la glycémie avec ces seuls médicaments, et de nouvelles molécules doivent être ajoutées au traitement. Lorsque plus aucun médicament oral ne parvient à maintenir les taux de glucose dans les valeurs cibles, le traitement à l'insuline devient nécessaire, souvent en association avec des agents hypoglycémiants, dernière étape du traitement classique du diabète.

À mesure que le traitement avance, les effets secondaires s'accumulent, contribuant parfois à l'aggravation de la maladie. Ainsi, les sulfamides hypoglycémiants et l'insuline entraînent généralement un gain de poids qui accélère la perte de cellules bêta. De nombreux médicaments déstabilisent aussi les taux de glucose et favorisent les épisodes d'hypoglycémie. Bien qu'un faible taux de glucose ne soit associé à aucun effet négatif physique à long terme, ces épisodes sont très inconfortables et en poussent certains à maintenir une glycémie globalement plus élevée pour éviter ces événements importuns, ce qui affecte leur santé à long terme.

Le traitement du diabète a considérablement évolué au cours des quinze dernières années, grâce à l'introduction de nouvelles familles de médicaments qui laissent entrevoir, pour la première fois, la perspective de stopper ou même de réparer les dommages causés au pancréas, et de guérir le diabète. Ne crions pas victoire trop vite, cependant : il faudra encore plusieurs années pour évaluer l'efficacité à long terme de ces substances. Mais il y a de l'espoir.

Dans ce chapitre, je présente les médicaments les plus courants ainsi que quelques molécules introduites plus récemment. Comme vous le verrez, on est encore loin de maîtriser le diabète par la médication.

Le traitement traditionnel

Le médicament de choix dans le traitement de première ligne du diabète est la metformine, une molécule de la famille des biguanides identifiée il y a plus de quatre-vingts ans pour le traitement de cette maladie. Utilisée depuis longtemps dans un certain nombre de pays, la metformine n'a été approuvée que très récemment aux États-Unis, en 1994. Ce retard est dû au fait qu'un autre médicament appartenant à la même famille, la phenformine, avait longtemps été privilégié dans ce pays. Or, on avait constaté que cette molécule présentait un risque élevé d'acidose lactique fatale. Celle-ci avait été retirée du marché dans les années 1970, donnant une mauvaise réputation à toute cette classe de médicaments (Sheehan, 2003).

Il s'avère que les risques d'acidose lactique sont de dix à vingt fois inférieurs avec la metformine, et qu'ils ne concernent que les patients souffrant d'insuffisance rénale et d'autres maladies spécifiques telles que la maladie pulmonaire chronique et l'insuffisance cardiaque congestive, affections qui peuvent facilement être repérées. Pour tous les autres diabétiques de type 2, ce médicament est extrêmement sûr, comme l'ont montré de très nombreuses études. Comme la metformine n'est pas chère et qu'elle comporte très peu de risques lorsqu'elle est utilisée sur de longues périodes, la plupart des associations de diabète et médicales, y compris les associations américaine et européenne du diabète (ADA et EASD), recommandent d'employer cette substance en traitement de première ligne. La metformine reste aussi un médicament de choix pour les prédiabétiques, car elle retarde l'apparition de la maladie.

La metformine réduit la concentration de sucre dans le sang en inhibant, par l'intermédiaire d'un mécanisme qui n'est pas complètement compris, la production de glucose par le foie. On pense également qu'elle améliore la sensibilité à l'insuline musculaire. Ce médicament a plusieurs avantages, dont ceux d'augmenter très peu le risque d'hypoglycémie et – ce qui est aussi important dans le traitement du diabète – de faciliter la perte de poids, diminuant de ce fait la résistance à l'insuline.

Ainsi, la metformine n'agit pas spécifiquement sur les causes du diabète de type 2 et n'a aucun effet direct sur le fonctionnement des cellules bêta. Elle réduit plutôt le stress imposé à ces cellules en limitant le besoin d'insuline. Bref, selon de nombreuses études, l'utilisation de la metformine ne permet pas d'enrayer la perte de cellules bêta, mais la retarde simplement. C'est pourquoi on observe généralement une diminution rapide et importante du taux d'HbA_{1c} au début du traitement à la metformine ; cependant, au fil du temps, et cela peut être une question de mois ou d'années, ce taux recommence à augmenter, comme on l'a vu dans les chapitres précédents, indiquant que le diabète continue de progresser en dépit du traitement.

Néanmoins, ce médicament reste très important puisqu'il n'a pas d'effet à long terme sur la santé et qu'il peut retarder la conversion de l'état d'intolérance au glucose en celui d'insulinodépendance en abaissant la pression sur les cellules bêta et en facilitant la perte de poids. En plus de ces avantages, des études récentes suggèrent que la metformine pourrait avoir des propriétés anticancer et neuroprotectrices, bien qu'il reste encore beaucoup à faire pour confirmer ces observations (Dardano *et al.*, 2014).

La metformine n'est pas parfaite. Comme beaucoup de médicaments contre le diabète, elle peut induire des effets secondaires gastro-intestinaux (nausées, diarrhées, vomissements). Chez la plupart des utilisateurs, ces effets disparaissent quelques jours après le début du traitement. Cependant, de 10 à 20 % des patients ne tolèrent pas la metformine et doivent se tourner vers d'autres médicaments, le plus souvent les sulfonylurées. Plusieurs études suggèrent aussi que la metformine pourrait accélérer le dysfonctionnement cognitif en diminuant l'efficacité de la vitamine B_{12}.

Quoi qu'il en soit, et bien que les effets secondaires de ce médicament soient généralement minimes, la metformine n'est, en fin de compte, qu'un baume qui n'agit pas directement sur les problèmes physiologiques à la source du diabète, soit la défaillance progressive des cellules bêta et la résistance à l'insuline, se contentant de réduire les effets de la maladie et d'en retarder la progression.

Les sulfonylurées

Les sulfonylurées, qui font partie de la famille des sécrétagogues d'insuline, sont également utilisées en première ligne pour le traitement du diabète, bien qu'elles perdent de leur popularité. Contrairement à la metformine, qui limite la production de glucose, les sulfonylurées travaillent en stimulant la sécrétion d'insuline (Orme *et al.*, 2014), c'est-à-dire en forçant le pancréas à augmenter son activité. En raison de leur tendance à favoriser la prise de poids et à accroître la fréquence des épisodes d'hypoglycémie, elles sont cependant une arme à double tranchant : bien qu'elles réduisent temporairement le niveau de glucose, elles favorisent, à long terme, le développement de la maladie par la sursollicitation du pancréas et par l'augmentation du poids.

Adopté au milieu des années 1950, ce médicament a été le seul traitement par voie orale à être administré pour le diabète aux États-Unis jusqu'en 1994 (Sheehan, 2003). Les sulfonylurées sont encore employées à grande échelle, mais certaines analyses indiquent une augmentation du taux de mortalité par rapport à ce qui est observé avec la metformine, par exemple (Dardano *et al.*, 2014). En conséquence, selon de nombreux chercheurs, les sulfonylurées ne devraient pas être utilisées comme médicament de première ligne.

Au cours des vingt dernières années, de nouveaux médicaments de la même famille, comme la répaglinide et le natéglinide, sont apparus sur le marché. Ils présentent les mêmes mécanismes de ciblage. Bien qu'ils soient beaucoup moins utilisés que les sulfonylurées, il semble, du moins dans le cas de la répaglinide, qu'ils soient aussi efficaces que leurs prédécesseurs, tout en diminuant le risque d'hypoglycémie et en offrant une action plus rapide pour ce qui est de la maîtrise de la glycémie postprandiale (Sheehan, 2003). Ces avantages pourraient être insuffisants, toutefois, pour faire contrepoids aux limites de cette classe de médicaments.

L'insuline

L'évolution naturelle du diabète de type 2 est caractérisée par une diminution progressive de la masse des cellules bêta pancréatiques et de leur capacité à produire de l'insuline. Les diabétiques sont donc susceptibles, sur le long terme, d'avoir besoin d'insuline externe pour compenser une production naturelle déficiente.

Comme on l'a vu, l'insuline a été découverte en 1921 par Frederick Banting, de l'Université de Toronto. Cette substance a presque immédiatement été injectée à un garçon de quatorze ans, Leonard Thompson, qui était dans un coma diabétique. Au grand étonnement de tout le monde, ce traitement a permis à ce dernier de survivre à une maladie jusqu'alors fatale, le diabète de type 1. L'importance de cette découverte a été telle qu'en 1923 Banting et deux de ses collègues ont reçu le prix Nobel de physiologie pour leurs travaux. Plus important pour les diabétiques, 1923 a aussi été l'année où l'industrie pharmaceutique a commencé à purifier l'insuline extraite du pancréas porcin et bovin pour utilisation chez les humains.

On a vite découvert que l'insuline injectée, en abaissant les niveaux de glucose, était efficace pour le diabète de type 1 et de type 2 et permettait de réduire les risques microvasculaires. Contrairement à ce que laissaient entendre les craintes initiales, on a rapidement confirmé que l'emploi de l'insuline n'augmentait pas le risque de cancer. Les premières années, les principaux risques pour la santé se rapportaient plutôt à la pureté relative des extraits d'origine animale et à la présence de contaminants pouvant induire de fortes réactions (abcès, allergies à l'insuline). Au fil du temps, ces problèmes ont largement été résolus grâce à l'amélioration des procédés d'extraction. La production d'insuline artificielle, qui n'a commencé qu'en 1978, plus de cinquante ans après le traitement initial, a réglé la question de la pureté une fois pour toutes en permettant la production de produits sûrs et parfaitement uniformes.

Bien qu'elle ait révolutionné le traitement du diabète, l'insuline externe n'est pas dépourvue d'inconvénients. D'abord, cette substance favorise les épisodes d'hypoglycémie et la prise de poids. Elle doit aussi être entreposée et manipulée avec soin, en plus de nécessiter des injections régulières, méthode qui exige de la dextérité et qui demeure rébarbative. Le recours aux injections induit également une certaine gêne lorsqu'elles doivent se faire en public, ce qui ajoute une barrière psychologique au traitement.

Pourtant, l'insuline a bien des avantages. Sa composition peut être modifiée sans influer sur sa fonction de base. Cette flexibilité a permis, comme on l'a vu, l'utilisation de l'insuline porcine ou bovine, qui ne diffère que légèrement de l'insuline humaine, dans le traitement des premiers jours. Une décennie seulement après le premier traitement à l'insuline, une nouvelle forme d'insuline de plus longue durée, la protamine neutre Hagedorn, ou NPH (pour *neutral protamine Hagedorn*), a été synthétisée par un groupe de chercheurs danois, qui a couplé l'insuline à la protamine. Cette « recette » a immédiatement été améliorée par une équipe canadienne grâce à l'ajout de zinc, élément favorisant la formation d'ensembles de molécules qui restent dans le sang et qui se dissolvent lentement. Après quinze ans de travail, les chercheurs ont été en mesure d'offrir une forme cristalline de protamine-insuline qui peut être mélangée à de l'insuline, offrant une action qui s'étale sur plusieurs heures (jusqu'à un maximum de dix à seize). L'insuline NPH, apparue sur le marché en 1950, constitue la dernière avancée majeure des cinquante premières années de l'insuline.

La deuxième période de développement a commencé en 1978 avec la production de l'insuline synthétique, comme nous l'avons mentionné plus haut, et l'invention de la pompe à insuline. Celle-ci a été suivie, quelques années plus tard, par le stylo à insuline, qui a considérablement réduit, sans l'éliminer totalement, la difficulté de l'injection. Depuis le milieu des années 1990, un certain nombre de molécules proches de l'insuline ont été introduites afin d'agir plus spécifiquement sur la durée, pour la maîtrise du niveau de base et après les repas. Ces molécules facilitent l'utilisation de l'insuline en plus de diminuer ses effets secondaires, comme le risque d'hypoglycémie et le gain de poids.

Le but de ce zoo de molécules qui se ressemblent est d'imiter le cycle de production de l'insuline pancréatique par l'assemblage de molécules à action rapide et à action retardée, ce qui permet de diminuer la fréquence des injections. En effet, la production d'insuline par le corps varie en fonction du temps : le pancréas maintient une concentration de base dans le sang et accélère la cadence en réponse à l'ingestion de nourriture. Alors que l'insuline lente était accessible depuis les années 1950, l'insuline à action rapide, qui agit en quelques minutes, n'a été offerte qu'à partir du milieu des années 1990, sous la forme d'aspart, de lispro et de glulisine. On peut administrer ces molécules au moment des repas plutôt que de devoir les injecter de trente à quarante-cinq minutes avant, ce qui permet au diabétique insulinodépendant de ne pas avoir à constamment planifier ses repas. Le mélange de ces analogues de l'insuline contribue à simplifier le traitement, qui s'étend sur vingt-quatre heures et qui réduit le risque d'hypoglycémie.

En dépit de ces progrès, la manipulation de l'insuline doit toujours se faire avec soin pour éviter, entre autres choses, les épisodes hypoglycémiques. L'obstacle le plus important à l'utilisation de l'insuline tôt dans le traitement du diabète de type 2 est toutefois le fait qu'elle ne peut être prise que par injection, bien que les technologies récentes, qui peuvent être coûteuses, permettent de faciliter sa gestion. Voilà pourquoi on a tendance à employer cette substance seulement quand tout le reste a échoué, même si, selon plusieurs études, l'adoption anticipée de l'insuline pourrait faciliter considérablement la maîtrise de la glycémie et réduire les coûts à long terme pour le système de santé. Des recherches récentes suggèrent même qu'un traitement par l'insuline dès le moment du diagnostic pourrait ralentir et même inverser la progression de la maladie. Il faudra davantage de données pour confirmer ces observations, mais celles-ci soulèvent des questions importantes quant au choix du traitement actuel.

La médication indirecte

Il est de plus en plus courant d'ajouter quelques pilules aux médicaments antidiabétiques afin de réduire le risque cardiovasculaire. Dans de nombreux pays, par exemple, l'aspirine et les statines sont prescrites dans le cadre du protocole standard pour améliorer les niveaux de cholestérol et pour fluidifier le sang, réduisant ainsi le risque d'accident cardiovasculaire. Ce risque est, de toute façon, augmenté pour la fraction importante de personnes chez qui on a récemment diagnostiqué le diabète et qui sont également obèses ou en surpoids ; cela facilite la décision d'ajouter une pilule à la petite boîte. Comme ces médicaments n'agissent pas directement sur le diabète, je n'en parlerai pas davantage.

Les nouveaux médicaments

Un certain nombre de médicaments, proposés au cours des dernières années, ciblent des mécanismes différents de ceux auxquels on s'intéresse jusqu'à présent. Ainsi, il semble que, contrairement au traitement standard, certaines de ces molécules pourraient contribuer à guérir les cellules bêta. Ce point fait encore l'objet de débats, mais il offre de l'espoir à ceux qui ont récemment reçu un diagnostic de diabète de type 2.

Dans un avenir relativement proche, il se peut que ces médicaments soient en mesure d'inverser la progression de la maladie.

Je mentionne ici quatre classes de médicaments qui pourraient vraiment changer notre approche du diabète de type 2. D'autres molécules sont aussi à l'étude et pourraient être proposées dans les années à venir, contribuant à la révolution que nous attendons tous.

Les thiazolidinédiones (TZD)

Les thiazolidinédiones (TZD) sont une famille de molécules agonistes des récepteurs activés par les proliférateurs de peroxysomes qui agissent directement sur la sensibilité à l'insuline des muscles, permettant d'augmenter et de préserver la fonction des cellules bêta à long terme. Ils aident également à réduire la teneur en graisse du foie et, possiblement, du pancréas, ainsi qu'à diminuer la production totale de glucose. Ils semblent en outre favoriser l'élimination des métabolites lipidiques toxiques qui affectent les cellules bêta, ce qui permet à celles-ci d'améliorer leur fonction dans une proportion allant jusqu'à 60 %, effet qui persiste après deux années d'étude.

Un certain nombre de molécules appartenant à cette catégorie ont été proposées au cours des deux dernières décennies, dont la troglitazone, la pioglitazone et la rosiglitazone, qui semblent toutes trois avoir des effets similaires sur la sensibilité à l'insuline et la maîtrise de la glycémie.

Parce qu'ils agissent directement sur les cellules bêta, les TZD semblent être plus efficaces que les médicaments traditionnels. Par exemple, une étude des effets de la troglitazone, qui s'est étendue sur quinze ans, a montré une division par quatre de l'incidence du diabète par rapport à un placebo et une réduction par un facteur deux de cette incidence par rapport à un traitement à la metformine accompagné d'une modification du mode de vie (Daniele *et al.*, 2014). Ces résultats sont significatifs, à défaut d'être bouleversants.

Pourquoi ces molécules si exceptionnelles ne sont-elles pas offertes en première ligne dans la lutte contre le diabète de type 2 ? En bonne partie parce que leurs effets secondaires sont importants. En plus de coûter cher, les TZD favorisent grandement la prise de poids et la rétention d'eau. Plusieurs études suggèrent également que les femmes qui prennent des TZD présentent une augmentation du risque de fracture. Ces molécules ont aussi été associées à une augmentation des cas de cancer de la vessie et d'insuffisance cardiaque congestive (Dardano *et al.*, 2014). L'usage d'une de ces molécules, la troglitazone, avait commencé en 1997, ouvrant la voie à cette nouvelle famille de médicaments ; il a été suspendu, car cette substance est toxique pour le foie (Daniele *et al.*, 2014). Pour le moment, les deux autres molécules, la rosiglitazone et la pioglitazone, approuvées en 1999, ne semblent pas induire les mêmes effets secondaires et offrent des avantages similaires en ce qui a trait à la sensibilité à l'insuline et à la fonction des cellules bêta.

Les avantages de ces molécules, qui agissent tout de même directement sur la source du problème, poussent plusieurs scientifiques à chercher des façons de diminuer ou de contourner leurs effets secondaires. Ainsi, certains recommandent l'emploi combiné des TZD et de divers diurétiques, ce qui permet de limiter la rétention d'eau.

On utilise également les TZD dans le cadre de la thérapie combinée, avec la metformine, par exemple, en remplacement de la combinaison traditionnelle metformine-sulfonylurées (Derosa et Salvadeo, 2007). Cette combinaison s'attaque très tôt au problème fondamental de la sensibilité à l'insuline dans le but de ralentir ou même d'arrêter la progression du diabète. Une méta-analyse des études combinant pioglitazone et metformine a montré que cette thérapie conduit à une nette amélioration du contrôle glycémique et à une augmentation de la sensibilité à l'insuline. Cette thérapie contribue également à la diminution du risque cardiovasculaire et même, éventuellement, de l'hypertension (Derosa et Salvadeo, 2007). Un avantage de cette thérapie combinée est que les deux médicaments sont relativement bien tolérés et présentent peu d'effets secondaires, en particulier parce que la metformine permet de réduire la dose de TZD. Comme la metformine favorise la perte de poids, elle aide aussi à contrecarrer, au moins en partie, les problèmes de prise de poids associés aux TZD.

En s'appuyant sur ces résultats et sur des études récentes, plusieurs chercheurs suggèrent que les TZD devraient s'insérer beaucoup plus tôt dans le traitement du diabète et même chez les gens qui atteignent le stade prédiabétique, puisque ces médicaments ralentissent considérablement la conversion au diabète. La question, cependant, est de savoir si cet avantage est suffisant pour compenser les coûts annuels trois ou quatre fois plus élevés que dans le cas de la metformine employée seule. Une analyse coûts-bénéfices détaillée manque encore pour régler cette question.

Les agonistes du GLP-1

Les deux prochaines classes de médicaments touchent la façon dont le corps gère le glucose. Les chercheurs ont remarqué que cette réponse dépend fortement de la manière dont le glucose entre dans l'organisme. Par exemple, la production d'insuline en réponse au glucose administré par voie orale est deux ou trois fois plus forte que lorsque ce sucre est administré par voie intraveineuse. Cette différence est due, en bonne partie, au fait que la réaction au glucose est dirigée par deux hormones gastro-intestinales : le *glucagon-like peptide-1* (GLP-1) et le peptide insulinotrope dépendant du glucose (GIP, pour *gastric inhibitory polypeptide*). Ces deux peptides favorisent la production d'insuline, et le GLP-1 agit également sur le système digestif, où il inhibe la sécrétion de glucagon en plus de retarder la vidange gastrique et de couper l'appétit, actions qui limitent l'envie de manger et qui favorisent la perte de poids.

Ces peptides sont étroitement contrôlés par la dipeptidyl peptidase-4 (DPP-4), qui a la responsabilité de les détruire rapidement : le GLP-1 et le GIP biologiques ont une demi-vie typique d'une ou deux minutes seulement. En raison de cette action rapide, on ne peut pas les utiliser comme tels dans un traitement contre le diabète. Heureusement, les chercheurs ont trouvé deux familles de molécules pouvant s'attaquer au problème. La première inclut des molécules qui miment l'action du GLP-1 sans être soumises à la dégradation par la DPP-4, alors que la deuxième bloque simplement l'activité de la DPP-4, permettant au GLP-1 et au GIP de poursuivre leur travail un peu plus longtemps.

Les molécules de la première classe sont les analogues du GLP-1. Elles représentent une nouvelle approche pour le traitement du diabète de type 2. À l'heure actuelle, une demi-douzaine de molécules de cette famille sont proposées : l'exénatide et le liraglutide sont déjà sur le marché, l'albiglutide et le taspoglutide ont été soumis à des essais publiés, et le lixisénatide et le LY2189265 sont encore à l'étude (Shyangdan *et al.*, 2010).

Ces molécules semblent offrir un certain nombre d'avantages par rapport aux médicaments utilisés habituellement dans la lutte contre le diabète. Une méta-étude qui regroupe vingt-huit études cliniques sur quatre analogues du GLP-1 (Shyangdan *et al.*, 2010) montre, par exemple, que l'introduction de ces molécules relativement tôt dans le traitement est aussi efficace que l'insuline pour réduire et contrôler le taux d'HbA_{1c}. Contrairement à l'insuline et à la plupart des autres médicaments utilisés pour maîtriser le diabète, ces médicaments ont deux très gros avantages. Tout d'abord, ils facilitent la perte de poids, alors que les autres traitements font l'inverse et aggravent le diabète. De plus, leur action dépend du taux de glucose dans le sang. Ainsi, les analogues du GLP-1 favorisent la sécrétion d'insuline lorsque les taux de sucre sont élevés, cessent d'agir lorsque ceux-ci diminuent et deviennent complètement inactifs lorsque les taux sont inférieurs à 3,6 mmol/l. Ils réduisent donc considérablement le risque d'épisodes hypoglycémiques, contrairement à l'insuline et aux autres médicaments de deuxième ligne.

Finalement, et c'est peut-être la nouvelle la plus intéressante, les analogues du GLP-1 ne semblent pas agir seulement sur les symptômes : ils permettent une réduction durable de l'HbA_{1c} et mènent à une amélioration nette du fonctionnement des cellules bêta. Ainsi, ils améliorent directement la réponse des cellules bêta au glucose et vont jusqu'à rétablir une réponse normale aux fluctuations du glucose chez les diabétiques. On a même observé, dans des modèles animaux, une réduction de la perte de cellules bêta et une augmentation de leur masse totale, ce qui aide à stabiliser et à restaurer une partie de la fonctionnalité du pancréas.

Si ces médicaments sont si prometteurs, pourquoi ne sont-ils pas offerts à tous ? D'abord, de plus amples études sont nécessaires pour confirmer que les analogues du GLP-1 permettent vraiment d'arrêter et d'inverser la perte de cellules bêta. Ensuite, ces substances peuvent induire des effets secondaires gastro-intestinaux tels que nausées, vomissements et diarrhée, effets qui peuvent être réduits au fil du temps et qui ne touchent pas la majorité des patients, mais qui sont bien réels. Enfin, les analogues du GLP-1 sont coûteux et doivent être pris par injection, ce qui les rend plus proches de l'insuline en ce qui a trait aux difficultés d'utilisation. Cependant, il est possible, avec certaines molécules, de se contenter d'une injection par semaine, voire toutes les deux semaines, dose qui devrait diminuer considérablement la barrière à l'acceptation du traitement.

Pour le moment, il semble que la communauté médicale ait placé les analogues du GLP-1 en troisième ligne de réponse au diabète de type 2. Selon certains chercheurs, ces molécules arrivent donc trop tard dans le traitement pour inverser la désintégration des cellules bêta, puisque cette destruction est alors beaucoup trop avancée. En dépit des effets secondaires et de la nécessité de passer par l'injection, plusieurs scientifiques recommandent l'emploi de ces molécules en première ligne, au moment du diagnostic de prédiabète : les analogues du GLP-1 pourraient alors, en favorisant la perte de poids et l'augmentation de la masse des cellules bêta, guérir complètement les individus (Daniele *et al.*, 2014).

Les inhibiteurs de la DPP-4

Les inhibiteurs de la DPP-4 (I-DPP-4) représentent le deuxième angle d'attaque adopté par les chercheurs afin d'influencer la gestion du glucose par l'organisme. Au lieu d'augmenter la quantité de *glucagon-like peptide-1* ou de molécules similaires (GLP-1), ils ciblent la DPP-4 dans le but de ralentir la dégradation du GLP-1.

Ces inhibiteurs ont été proposés en 2006 seulement, avec l'arrivée de la sitaglipine. Bien que plusieurs molécules du même type aient été proposées depuis, les chercheurs poursuivent toujours leurs études afin d'évaluer les effets à long terme de ces substances. La plupart des études portent sur des périodes relativement courtes, souvent de six mois ou moins, ce qui n'est pas suffisant pour bien circonscrire les avantages et les inconvénients de cette classe de molécules.

Malgré tout, on sait que cette famille de molécules agit en stimulant directement la sécrétion d'insuline, tout en inhibant la sécrétion de glucagon. Elle semble relativement efficace pour abaisser le taux d'HbA_{1c} et semble avoir des effets secondaires limités, y compris sur la prise de poids et les fonctions rénales. Tout comme les analogues du GLP-1, les inhibiteurs de la DPP-4 présentent un faible risque d'hypoglycémie, problème récurrent chez les diabétiques de longue date.

On aurait pu s'attendre à ce que les médicaments ciblant la DPP-4 et le GLP-1 aient des effets similaires, mais il semble que les effets positifs des inhibiteurs soient moins intéressants. Ainsi, ils ne facilitent pas la perte de poids et, plus important encore, ils ne semblent pas avoir le même impact positif sur les cellules bêta. Ils ont l'avantage, par contre, d'être distribués par voie orale, ce qui fait qu'ils ont été rapidement proposés en combinaison avec la metformine ou les TZD comme traitement de deuxième ou de troisième ligne.

Après leur introduction, on a craint un moment que les inhibiteurs de la DPP-4 et les analogues du GLP-1 soient associés à un risque accru de pancréatite aiguë. Selon une méta-étude publiée récemment, toutefois, rien n'indique que les diabétiques de type 2 employant ces médicaments présentent un risque plus élevé de pancréatite. Même si d'autres études sont nécessaires, ces travaux suggèrent que le risque n'est pas aussi élevé qu'on le craignait (Li *et al.*, 2014), ce qui devrait rassurer les utilisateurs de ces médicaments.

Pour une utilisation précoce de l'insuline

On le sait, il y a des avantages notables à maintenir un niveau d'HbA_{1c} aussi bas que possible. Pour plusieurs chercheurs, il est inutile de laisser le patient tenter de maîtriser son niveau de glucose seulement avec des médicaments oraux, alors que l'utilisation précoce de l'insuline dans le traitement permettrait d'atteindre, beaucoup plus simplement, des niveaux de glucose optimaux. Or, les patients et les médecins résistent, malgré les avantages considérables de cette méthode.

En effet, l'insuline est considérée aujourd'hui comme l'étape ultime du traitement du diabète. L'atteinte de ce point est souvent associée à la progression du diabète et à un échec en ce qui touche la maîtrise de la maladie. Le fait de retarder ou de refuser ce traitement nous donne l'impression de maîtriser la maladie jusqu'à un certain point. Or, dans l'état actuel, le diabète est un mal qui progresse inexorablement, tuant peu à peu les cellules bêta responsables de la production d'insuline. La dépendance à l'insuline est donc une étape naturelle de la maladie, que cela nous plaise ou non. Une étape que beaucoup de gens associent à la cécité, aux amputations, aux problèmes cardiovasculaires, et bien plus. Or, cette association n'existe que parce qu'on tarde trop à passer à ce traitement.

L'utilisation de l'insuline suscite aussi la crainte de l'hypoglycémie, d'une routine plus complexe et des auto-injections. Ces peurs se révèlent souvent exagérées. Une fois la routine adoptée, l'emploi de l'insuline n'impose aucune contrainte insurmontable et s'intègre rapidement à la vie quotidienne.

Il ne sert cependant à rien de le nier : les injections d'insuline quotidiennes interfèrent avec notre vie. Nombreux sont ceux qui ne suivent pas leur traitement de manière régulière parce que l'insuline les force à planifier leurs journées autour des injections, ce qui perturbe les repas, l'exercice et les activités en général. C'est encore pire lorsque ces injections doivent être faites en public ou devant la famille, les collègues et les connaissances, qui découvrent alors la maladie. Pour certains, le principe même de l'injection est redouté.

Comme l'explique Grunberger (2013), ces effets sociaux contribuent de manière importante à la crainte et au rejet de l'insuline par les diabétiques de type 2. La plupart d'entre eux seraient prêts à payer plus cher pour avoir accès à une insuline à action prolongée, facile à gérer, qui diminuerait les risques d'hypoglycémie nocturne et de prise de poids. Or, les développements récents, avec par exemple l'introduction de la Glargine et du Detemir, ouvrent la porte à une meilleure maîtrise des niveaux d'insuline basale, même si on peut encore se contenter d'une seule injection par jour. Il y a donc espoir de pouvoir mettre en place, dans les années qui viennent, un traitement simplifié qui permettrait d'intégrer beaucoup plus rapidement l'insuline au traitement des diabétiques de type 2, limitant la pression sur le pancréas et offrant une bien meilleure maîtrise de la glycémie que les médicaments oraux vendus aujourd'hui.

Les inhibiteurs du SGLT2

Les inhibiteurs du cotransporteur 2 du glucose-sodium (SGLT2) agissent directement sur le taux de glucose en réduisant sa réabsorption par les reins après la filtration du sang. Le glucose se trouve alors simplement éliminé dans l'urine, ce qui permet de réduire la glycémie et l'apport calorique en glucose. Le mécanisme inhérent à cette classe de molécules est donc très différent de celui des autres médicaments et ne vise pas les cellules bêta ou la résistance à l'insuline (Dardano *et al.*, 2014). On s'attend donc à ce que les inhibiteurs du SGLT2 soient utilisés en conjonction avec d'autres médicaments, en particulier chez les patients ayant du mal à maîtriser leurs niveaux de sucre dans le sang.

Les inhibiteurs du SGLT2 pourraient aussi aider à limiter l'incidence des épisodes hypoglycémiques, particulièrement chez les diabétiques prenant des sulfonylurées ou de l'insuline. Cependant, il faudra faire plus de recherches pour évaluer les interactions possibles de ces substances (Orme *et al.*, 2014). Le premier inhibiteur du SGLT2 qui a été approuvé est le Dapagliflozin, conçu par Bristol-Myers Squibb et AstraZeneca en 2012. Il est donc encore un peu tôt pour circonscrire pleinement les risques et les bénéfices associés à ce médicament.

Viser le meilleur traitement possible

Tant du point de vue du patient que de celui du médecin, la gestion du diabète n'est pas une tâche facile, surtout avec la multiplication des médicaments. Pour concevoir un traitement, les médecins doivent s'appuyer sur les traitements établis et sur les lignes directrices définies par celui qui paie – le patient, l'assureur ou un service national de santé. Ces procédures sont souvent le résultat de compromis qui se basent sur les études scientifiques et qui intègrent les difficultés liées à l'évaluation des avantages réels de certains traitements par rapport aux dommages potentiels en présence de données parfois contradictoires. Les traitements recommandés tiennent généralement compte, d'une façon ou d'une autre, des coûts totaux, surtout en cette ère où le diabète pèse de plus en plus sur les systèmes de soins de santé.

En effet, les coûts totaux doivent être intégrés à la conception des recommandations pour le traitement des maladies chroniques. Deux aspects doivent être pondérés lorsque vient le temps de faire le calcul : les effets sur la qualité de vie et le coût total des frais médicaux, intégré sur la durée du traitement. Si un médicament coûte cher mais réduit considérablement la morbidité, il pourrait être intéressant de l'utiliser : dépenser 1 000 ou 2 000 dollars de plus chaque année pendant trente ans afin d'éviter une chirurgie cardiaque qui pourrait coûter plusieurs centaines de milliers de dollars, surtout pour un système national de santé, est une décision tout à fait raisonnable. En pratique, bien sûr, les choix sont moins rationnels : il est tentant de retarder les dépenses autant que possible, afin d'économiser aujourd'hui. C'est particulièrement vrai pour les compagnies d'assurance privées, qui ne savent pas si, dans trente ans, le patient sera encore avec elles. C'est malheureusement aussi le cas de plusieurs systèmes de santé nationaux, ce qui peut conduire à des décisions et à des recommandations parfois surprenantes.

Les coûts ne sont pas le seul obstacle à un traitement optimal. Les médecins ne sont pas toujours parfaitement à jour en ce qui a trait à la littérature, même dans le cas de maladies fréquentes, comme le diabète. En effet, la définition de ces maladies et de leurs traitements s'est considérablement compliquée ces dernières années, et les traitements optimaux exigent aujourd'hui une évaluation plus complexe, qui n'est pas toujours comprise par l'équipe soignante. Il faut dire que, de par leur formation, les médecins ont tendance à être conservateurs et à suivre la tradition au lieu de courir constamment après la dernière tendance. On peut comprendre l'intérêt d'une telle approche, puisque celle-ci évite au médecin de se mettre au parfum des traitements à la mode, qui s'avèrent parfois coûteux sans pour autant se montrer beaucoup plus efficaces que les traitements courants. Or, puisque le diabète touche des centaines de millions d'individus dans le monde et que les médicaments peuvent être pris pendant des années, voire des décennies, il faut éviter les changements trop rapides sur le plan des traitements, changements qui pourraient induire des effets secondaires à long terme inattendus affectant un très grand nombre d'individus.

Malgré ces réserves bien compréhensibles, un certain nombre de résultats suggèrent qu'il est grand temps de réviser le protocole actuel de la réponse médicale de première ligne au diabète, même si les nouveaux médicaments sont plus coûteux et plus complexes à utiliser. Il faut notamment élargir les cibles et inclure, de manière beaucoup plus dynamique, la maîtrise du poids dans les éléments centraux du protocole. Cela dit, il y a loin du laboratoire à la réalité que les médecins doivent chaque jour affronter.

On le voit, la mise au point d'un protocole optimal d'intervention dépend étroitement de la relation entre l'équipe médicale et l'individu, mais aussi de l'expérience des médecins et des nouvelles études qui offrent, parfois, des directions intéressantes à suivre.

Conclusion

Pendant de nombreuses décennies, la pharmacopée permettant de maîtriser le diabète se limitait à une poignée de molécules pouvant, au mieux, retarder la progression de la maladie de quelques années, sans offrir de chance réelle de guérison. Aujourd'hui, en dépit de l'arrivée sur le marché de nombreux médicaments, l'approche fondamentale du traitement du diabète n'a pas vraiment changé, et on met toujours l'accent sur la maîtrise d'une maladie irréversible et dégénérative.

Il y a de l'espoir, cependant, et les analogues du GLP-1 sont probablement les premières molécules à avoir le potentiel de guérir cette maladie. Il ne s'agit pas d'un traitement magique, toutefois, et il est plus que probable qu'on ne pourra éviter, quels que soient les nouveaux médicaments, de passer par un changement notable de notre mode de vie, ce qui reste l'aspect le plus difficile à gérer.

Il n'y a pas de raison d'attendre le médicament miracle. Vous pouvez agir dès maintenant si vous le voulez, comme je l'expliquerai dans la dernière partie du livre. Auparavant, nous allons conclure cette section sur le traitement standard du diabète de type 2 en passant en revue une autre avancée majeure des dernières années dans la maîtrise du diabète : les glucomètres.

CHAPITRE 9

L'autosurveillance

L'autosurveillance de la glycémie est un aspect essentiel de la maîtrise individuelle du diabète : le jour du diagnostic, nous revenons presque tous à la maison avec un glucomètre en main, accompagné de lancettes et de bandelettes.

En quelques années seulement, les progrès technologiques ont transformé les tests personnels de glycémie. Grâce à une aiguille minuscule, n'importe quel adulte peut extraire, sans douleur ou presque, une infime goutte de sang, qui sera récoltée sur une petite bande plastique permettant de révéler, en quelques secondes, le niveau de sucre dans le sang et de suivre, presque en direct, l'évolution du diabète et l'efficacité du programme de contrôle.

La capacité de suivre le taux de glucose de jour en jour, voire d'heure en heure, est cruciale pour les diabétiques de type 1 et pour les personnes souffrant de diabète de type 2 qui sont insulinodépendantes. Cette mesure permet aux gens d'évaluer la quantité d'insuline dont ils auront besoin au cours des heures qui viennent. Pour les diabétiques de type 2 qui ne requièrent pas d'insuline, ces tests servent d'indicateurs et de facteurs de motivation aidant à poursuivre les programmes d'exercice physique et les régimes alimentaires recommandés, en plus d'assurer le suivi en ce qui concerne l'efficacité de la médication.

Bien que le glucomètre ait changé la relation entre les diabétiques et leur maladie, ce dispositif portable est également source de débats dans la communauté scientifique quant à son utilité réelle. Nous en discuterons un peu plus loin dans ce chapitre, mais d'abord, faisons un bref voyage dans l'histoire afin de découvrir comment ce petit appareil est apparu.

Une brève histoire du glucomètre[1]

Les premiers tests de laboratoire pour le diabète remontent au milieu du XIXe siècle, avec la découverte de réactifs permettant de déceler la présence de glucose dans l'urine. Ces tentatives étaient rudimentaires, bien sûr, et seulement qualitatives, mais elles faisaient partie de la révolution médicale qui allait transformer notre relation à la santé, révolution qui s'est étendue sur plus d'un siècle. En 1908, cinquante ans après la mise au point du premier test, Stanley Benedict, un chimiste américain, a conçu un ensemble de réactifs autorisant, pour la première fois de l'histoire, une mesure quantitative du glucose dans l'urine, test qui est demeuré la norme dans la définition et la maîtrise du diabète jusqu'aux années 1970.

---

1. L'information pour cette section provient d'un excellent article par S. F. Clarke et J. R. Foster, « A history of blood glucose meters and their role in self-monitoring of diabetes mellitus », publié dans le *British Journal of Biomedical Science* en 2012 (vol. 69, p. 83).

Bien qu'il ait été utilisé pendant plus de cinquante ans, le test d'urine pour le glucose souffre d'un certain nombre de problèmes qui limitent son utilité. Tout d'abord, la concentration en glucose est fortement influencée par la consommation de liquide ; il n'est donc pas possible de définir des cibles très précises. En outre, la mesure du glucose dans l'urine fournit uniquement des renseignements sur les niveaux de sucre dans le sang quelques heures après le fait, une fois qu'une partie du glucose a migré dans l'urine, ce qui ne permet pas de réagir en direct à une fluctuation soudaine de la glycémie. À partir des années 1950, il était devenu évident que les tests d'urine n'offraient, au mieux, qu'une image incohérente de la gestion du glucose par l'organisme et que de nouvelles approches étaient nécessaires, surtout afin de faciliter le dosage de l'insuline.

Déjà à cette époque, il était possible de mesurer le taux de sucre dans le sang en laboratoire. On ne pouvait toutefois utiliser ces méthodes à la maison. En effet, les tests personnels doivent être simples à réaliser et à comprendre, stables, et recourir à des produits qui ne sont pas dangereux et qui ont une durée de vie suffisamment longue. Il faut aussi que les médecins acceptent de laisser cet outil entre les mains des patients, contrainte beaucoup plus forte qu'on l'imagine. Ainsi, si les premières bandes-tests pour mesurer le niveau de glucose dans le sang sont apparues dans les années 1950, il a fallu une trentaine d'années pour qu'on établisse la fiabilité et l'utilité de ces tests, y compris les bandes et les appareils de mesure, et pour que la communauté médicale perçoive l'importance de ceux-ci, particulièrement pour les individus insulinodépendants.

Les premiers glucomètres n'étaient pas portatifs et

souffraient de plusieurs limitations techniques. Malgré celles-ci, les appareils ont été très bien reçus par les diabétiques, qui y ont vu une façon d'améliorer leur quotidien en maîtrisant de plus près leur taux de sucre tout en diminuant les épisodes hypoglycémiques. Rapidement, de petites compagnies technologiques indépendantes ont réalisé l'importance du marché qui venait de s'ouvrir à elles, et les appareils se sont multipliés en quelques années. Cette forte concurrence et le développement accéléré de l'électronique ont permis des améliorations rapides et notables, tant du côté des glucomètres que de celui des bandelettes, facilitant l'utilisation de ces appareils, dont le prix ne cessait de chuter. Cet énorme marché a attiré l'attention des grandes compagnies pharmaceutiques, qui avaient préféré s'abstenir dans les premiers jours. À la fin des années 1990, la plupart des petits producteurs de glucomètres avaient été rachetés par la grande industrie, ce qui a stabilisé les prix et ralenti les progrès technologiques.

Aujourd'hui, ce petit appareil, alimenté par une pile qui dure un an et plus, est familier à la plupart d'entre nous. Produits par une gamme d'entreprises, les glucomètres varient en forme et en style, mais ils donnent la même information avec une précision, en définitive, très similaire. Ces produits ne sont pas parfaits, et il reste encore de la place à l'amélioration, tant du côté de la précision des mesures que de celui du prix des bandelettes, mais il faut reconnaître qu'il est plus facile que jamais de surveiller notre glycémie.

L'utilisation des tests personnels

En dépit de la sophistication des appareils offerts aujourd'hui, la mesure au quotidien du niveau de glucose nécessite un certain soin. Tout d'abord, il est important de veiller à ce que le matériel (bandes et glucomètre) soit conservé dans de bonnes conditions. Les bandes, en particulier, doivent être gardées dans un endroit frais et à l'abri de la lumière pour préserver leur efficacité. Elles sont sensibles à un certain nombre d'autres facteurs environnementaux, comme la haute altitude, qui entraîne une diminution des niveaux d'oxygène. Elles sont également très sensibles à l'humidité et doivent être gardées au sec en tout temps. Il est essentiel, de même, d'éviter de trop manipuler les bandelettes lorsqu'on les installe dans l'appareil ou qu'on y fait pénétrer une goutte de sang.

Obtenir cette goutte est, aujourd'hui, presque un plaisir. Les lancettes sont très minces et causent un minimum d'inconfort. On se demande même souvent si l'aiguille a vraiment atteint son but, et ce n'est que lorsque le sang perle qu'on sait que l'opération a été un succès. Comme il suffit d'une goutte de sang, la mesure peut facilement être intégrée à notre vie, sans créer de perturbation. Il faut simplement que nous nous rappelions de faire des rotations entre les doigts ou les autres endroits où nous prélevons notre sang, afin de permettre à ceux-ci de se remettre de ces piqûres minuscules.

Il est également important de nous assurer de n'appliquer la lancette que sur des mains propres et sèches, afin d'obtenir une mesure plus précise et de limiter le risque d'infection.

Même en manipulant l'équipement avec soin, les variations dans la production de bandes induit des incertitudes dans les résultats des mesures. Ces erreurs ne surviennent pas qu'avec des tests personnels. Même les tests en laboratoire sont soumis à des variations causées, notamment, par la manipulation et l'entreposage des échantillons (Sacks *et al.*, 2011). Globalement, toutefois, les erreurs ou les incertitudes liées aux mesures personnelles sont en baisse grâce à l'amélioration constante des glucomètres et des bandelettes. Le risque d'erreur dans la retranscription et l'interprétation des données est également en baisse, car les glucomètres d'aujourd'hui sont reliés aux ordinateurs, aux tablettes ou aux téléphones cellulaires. Ces liens directs permettent aussi, en théorie à tout le moins, au personnel médical de suivre chaque patient de beaucoup plus près et de réagir lorsque la maladie évolue.

L'optimisation de la prise de mesure

La surveillance du taux de sucre dans le sang peut signifier des choses très différentes pour chacun, selon sa personnalité et le stade et la nature de la maladie.

Pour les individus atteints du diabète de type 1 et pour les insulinodépendants souffrant du diabète de type 2, les tests personnels fournissent de l'information sur la glycémie instantanée, qui permet de calculer la dose d'insuline à injecter afin d'assurer une meilleure maîtrise de la glycémie après les repas tout en évitant les épisodes hypoglycémiques. Dans ce cas, il est nécessaire de mesurer la glycémie à plusieurs reprises pendant la journée, à des moments très précis, et les tests personnels font donc partie intégrante du traitement.

Pour ceux d'entre nous qui peuvent maîtriser leur glycémie simplement en surveillant leur alimentation, en faisant de l'exercice physique ou en employant des médicaments oraux, ces tests servent plutôt à nous faire savoir si nos efforts et nos médicaments sont suffisants et efficaces. Ils nous rappellent, par exemple, que nous n'avons pas fait très attention à ce que nous avons mangé la veille ou que ce serait une bonne idée d'aller courir un peu après quelques jours d'inactivité. L'autosurveillance peut également nous aider à déceler des changements qui nécessitent une attention médicale.

Ici, le mot clé est *peut.* Étonnamment, plus de trente ans après l'arrivée des tests personnels sur le marché, les débats se poursuivent dans la communauté scientifique quant à la meilleure façon, pour chacun de nous, d'utiliser ces tests relativement coûteux – au Canada, une seule mesure coûte environ un dollar. Ainsi, en 2006, plus de 400 millions de dollars ont été dépensés au Canada pour des bandelettes, valeur qui dépasse celle de tous les médicaments antidiabétiques consommés au pays cette année-là. Or, plus de la moitié des tests sont faits par des individus qui, comme moi, ne prennent pas d'insuline (Cameron, Coyle et Klarenbach, 2010).

Une étude canadienne récente a examiné en détail les gains réels de l'autosurveillance. Sa conclusion est claire et un peu surprenante : il y a très peu d'avantages à utiliser l'autosurveillance de manière quotidienne chez les diabétiques de type 2 qui n'utilisent pas d'insuline. Bien que les chercheurs aient constaté une différence statistiquement significative de l'HbA_{1c} entre les participants qui emploient le glucomètre et ceux qui ne l'utilisent pas, cet écart est très faible (moyenne d'environ – 0,26 % chez ceux qui font un ou deux tests par jour). Cette différence dans l'HbA_{1c} a un effet minuscule sur la qualité de vie à long terme : on estime que ceux qui maîtrisaient leur diabète sans test personnel amélioraient leur espérance de vie de qualité de 7,30 années, contre 7,32 années pour ceux qui utilisaient un test quotidiennement, soit une différence de six jours sur sept ans, à un coût de 2 700 dollars. Pour la société, cela signifie un coût supplémentaire de 114 000 dollars par année de vie gagnée. Essentiellement, cela implique, comme l'indique l'étude, que, « pour éviter une seule complication liée au diabète sur une période de quarante ans », il faudrait offrir un test de glycémie quotidien à 1 200 ou 1 300 diabétiques de type 2. Compte tenu de ces résultats, l'étude conclut que la fréquence optimale des tests d'autosurveillance, pour les gens qui n'ont pas besoin d'insuline, devrait être d'environ une fois par semaine, ce qui fournirait suffisamment d'information tout en diminuant de manière importante les coûts des bandelettes qui sont, d'une façon ou d'une autre, payées par l'ensemble de la société.

Ces résultats vont dans le même sens que ceux d'une analyse récente de la Coalition for Clinical Research–Self-Monitoring of Blood Glucose Scientific Board, qui regroupe des scientifiques d'une douzaine de pays (Klonoff *et al.*, 2011). Ce groupe conclut que la plupart des études épidémiologiques montrent que le test personnel comporte des avantages, mais qu'ils sont souvent mineurs. Cependant, ces chercheurs vont au-delà de l'étude canadienne : ils tentent de comprendre les raisons de ces résultats inattendus. Selon leur analyse, le principal problème ne réside pas dans la qualité de l'information fournie par les tests de glycémie, mais dans le manque d'une formation qui pourrait aider les patients à mieux utiliser les résultats de ces tests pour savoir comment réagir à ceux-ci et pour modifier, lorsque nécessaire, leurs comportements par rapport à leur objectif personnel.

Pour faire bon usage de l'autosurveillance, il est donc important pour le personnel traitant d'examiner les données et le calendrier des tests avec les patients et de veiller à ce que ces tests coûteux soient faits correctement, suivant un horaire adapté à la santé et au mode de vie des gens concernés.

La compréhension des tests personnels

Quelle est la meilleure façon, dans ce cas, d'utiliser l'autosurveillance ? Cette question n'est pas triviale, et vous devez vraiment parler à votre médecin pour obtenir des conseils personnalisés. Il est possible, tout de même, de définir quelques éléments qui sont pertinents pour tous.

Afin d'utiliser correctement un test de glycémie, on doit d'abord comprendre ce qui est mesuré. Un peu comme dans le cas de la pression artérielle, deux chiffres sont particulièrement importants : le niveau de glucose à jeun et la glycémie postprandiale, c'est-à-dire après le repas. La glycémie varie constamment chez les diabétiques, mais on ne peut facilement comparer les mesures ni comprendre la signification d'une mesure prise à un moment quelconque de la journée. Pour mieux comparer les données avec des valeurs normatives, on recommande donc aux utilisateurs de faire leurs mesures à des instants bien définis. La glycémie à jeun, par exemple, représente la valeur de référence à l'aide de laquelle on évalue la capacité du corps à produire et à utiliser l'insuline. La glycémie postprandiale, pour sa part, représente la valeur de crête et offre une certaine indication de la capacité du corps à répondre à une hausse soudaine de glucose.

Au fil des ans, la communauté médicale a compris que ces deux extrêmes ne fournissaient pas une image complète de la situation et a cherché un moyen de mesurer le niveau global de sucre dans le sang. C'est le rôle de l'HbA_{1c}, comme on l'a vu. Bien que le taux d'HbA_{1c} ne soit pas directement décelable avec les tests de glycémie actuels, il semble que c'est un bien meilleur indicateur de l'état de santé général que les mesures de glycémie instantanées. Pour faire bon usage de l'autosurveillance, il est donc important de comprendre le lien entre ces valeurs.

La glycémie à jeun est associée, avec plus ou moins de précision, à la concentration totale de glucose sanguin donnée par l'HbA_{1c}. Elle représente donc la première cible à maîtriser, surtout lorsque l'HbA_{1c} est élevée. Par conséquent, si vos niveaux d'HbA_{1c} sont élevés, vous devriez d'abord prêter attention à vos résultats à jeun afin de vous assurer de reprendre le contrôle de cette cible importante.

Quand votre HbA_{1c} atteint la valeur cible standard, proche ou sous la barre des 7 %, c'est le temps de vous préoccuper de votre glycémie postprandiale, variable qui semble corrélée à plusieurs complications liées au diabète. Il reste encore beaucoup de questions en suspens quant aux niveaux acceptables de variabilité glycémique, mais il est clair qu'il est préférable de maintenir votre glycémie postprandiale à l'intérieur des limites recommandées. Comme les résultats postprandiaux ne peuvent pas être obtenus à l'aide des tests de laboratoire généralement demandés par votre médecin, assurez-vous de discuter de vos résultats avec lui afin de voir s'il y a ou non des problèmes avec votre glycémie postprandiale et afin de vous informer, le cas échéant, sur les mesures que vous devez prendre.

Si votre diabète est maîtrisé et si vous n'utilisez pas d'insuline, vous n'avez pas à faire un suivi quotidien. La plupart des guides considèrent que c'est exagéré et recommandent plutôt d'effectuer de courtes périodes de tests toutes les deux ou trois semaines. Différentes séquences peuvent alors être suivies, comme le montre le tableau 9.1. Ces séquences peuvent être effectuées toutes les six semaines, par exemple, afin d'avoir une image plus complète de la façon dont votre organisme gère le glucose à différentes périodes de la journée. Les études sont claires : vous ne pouvez améliorer votre santé en multipliant les tests à outrance !

Les limites des tests personnels

Je voudrais revenir sur le fait que les tests de glycémie personnels, tout comme ceux réalisés en laboratoire, ont une précision limitée et présentent même un biais systématique au chapitre des résultats qu'ils permettent d'obtenir. Qu'est-ce que cela veut dire ? Tout d'abord que, si vous faites de multiples mesures l'une après l'autre, vous aurez des réponses pouvant varier de façon considérable. Ces erreurs augmentent généralement avec le niveau de sucre

Tableau 9.1 Programmes d'autosurveillance de la glycémie

	Programme systématique						
	Déjeuner		Dîner		Souper		Coucher
	Avant	Après	Avant	Après	Avant	Après	
Dimanche	*						
Lundi		*					
Mardi			*				
Mercredi				*			
Jeudi					*		
Vendredi						*	
Samedi							*

	Programme intensif						
	Déjeuner		Dîner		Souper		Coucher
	Avant	Après	Avant	Après	Avant	Après	
Dimanche	*	*					
Lundi			*	*			
Mardi					*	*	
Mercredi	*	*					
Jeudi			*	*			
Vendredi					*	*	
Samedi	*	*					

Source : D. C. Klonoff, L. Blonde, G. Cembrowski, A. R. Chacra, G. Charpentier, S. Colagiuri, G. Dailey, R. A. Gabbay, L. Heinemann, D. Kerr, A. Nicolucci, W. Polonsky, O. Schnell, R. Vigersky et J.-F. Yale (2011). « Consensus report: The current role of self-monitoring of blood glucose in non-insulin-treated type 2 diabetes », *Journal of Diabetes Science and Technology*, vol. 5, p. 1529.

dans le sang. En plus de ces fluctuations statistiques, votre appareil peut obtenir des résultats qui sont systématiquement trop bas ou trop élevés. Outre ces limites inhérentes, il est possible que des erreurs se produisent au cours de la manipulation du glucomètre, comme je l'ai mentionné précédemment. L'ensemble de ces erreurs se reflète dans chacune des lectures que vous effectuez et est, en général, inférieur à 20 %. Cela signifie que, si votre vrai taux de glucose sanguin est de 6,0 mmol/l, les résultats de votre glucomètre pourront osciller entre 4,8 et 7,2 mmol/l.

Bien que ces inexactitudes soient ennuyeuses, surtout dans le monde numérique où nous vivons, elles sont tout à fait normales. Il n'existe pas de mesure parfaite ; tout appareil est sujet à des imprécisions. À mesure que la technologie progresse, ces erreurs se font de plus en plus petites, mais elles ne seront jamais nulles.

Puisqu'il est impossible d'éviter ces limites, il faut composer avec elles. Par exemple, vous pouvez évaluer le biais de votre appareil en comparant ses résultats avec ceux que vous obtenez au laboratoire médical quand vous voyez votre médecin ou avec un échantillon-test que vous pouvez obtenir chez votre pharmacien. Après quelques essais, vous serez capable d'estimer l'erreur systématique de votre glucomètre, de savoir s'il vous donne une glycémie généralement plus basse ou plus élevée que le test du laboratoire. Vous devriez aussi éviter de surinterpréter une lecture qui se démarque de ce que vous mesurez généralement. Si, un matin, vous obtenez une lecture de glycémie très différente de votre résultat typique, ne paniquez pas ; attendez au lendemain pour voir si celle-ci signifie vraiment quelque chose ou si elle est simplement due à une erreur de mesure.

Ce qu'il faut retenir des tests de glucose personnels

Bien que la preuve épidémiologique des avantages de l'autosurveillance pour les gens qui n'utilisent pas d'insuline soit encore débattue, cet outil peut être remarquable pour nous faire comprendre le lien entre certaines de nos habitudes et notre glycémie. En effet, comme le diabète est une maladie en grande partie invisible, les résultats de ce test sont bien souvent la seule indication de notre état de santé. Voir au jour le jour l'évolution de notre taux de sucre peut nous donner suffisamment de motivation pour changer nos habitudes et maîtriser le diabète dès le diagnostic. Cependant, lorsque tout s'emballe, le fait de suivre cet indicateur peut être un facteur de démotivation et de découragement.

Voilà pourquoi il est important de ne pas devenir obsédé par ces chiffres (et je parle d'expérience !). Puisque les tests sont chers – un seul d'entre eux représente environ trois fois le coût des médicaments que je prenais avant ma rémission –, ils ne doivent pas être utilisés pour rien. Nous avons besoin de conseils médicaux et d'un soutien approprié afin de nous aider à prendre les mesures au bon moment, à bien les noter et, surtout, à comprendre les résultats pour pouvoir agir de manière appropriée.

Pour ma part, je dois avouer que mon médecin n'a jamais demandé à voir l'évolution de mes résultats quotidiens, se contentant de jeter un coup d'œil aux résultats de laboratoire. Il se pourrait que ce soit parce que les choses étaient à peu près sous contrôle dans mon cas. Cependant, vous devez insister pour que votre équipe médicale regarde vos données avec vous, afin d'optimiser l'efficacité et les coûts de l'autosurveillance. Au bout du compte, ces tests sont importants, car ils nous permettent de nous engager directement dans notre traitement. Toutefois, ce transfert de responsabilité peut être difficile à accepter pour ceux qui ont plus de mal à gérer le stress ou la maladie. Le glucomètre ne devrait nous être remis que si nous avons reçu une formation et si nous profitons d'une supervision. Il faut qu'on nous enseigne à bien utiliser le glucomètre, qu'on nous soutienne et qu'on analyse avec nous la signification des mesures en ce qui a trait à notre état de santé, à notre mode de vie et à nos objectifs de perte de poids et d'alimentation. Un tel appui est essentiel si nous voulons que cette technologie coûteuse ait l'effet attendu.

TROISIÈME PARTIE

L'ÉCHEC PATENT DE LA PRÉVENTION ET DE LA GESTION DU DIABÈTE DE TYPE 2

CHAPITRE 10

Pourquoi les directives actuelles ne parviennent-elles pas à contrer la progression du diabète ?

Les directives qui encadrent le traitement du diabète, telles que conçues par les associations médicales et de diabète, visent à limiter la pression sur le pancréas et à maîtriser le niveau de glucose dans le sang. Elles incluent une série de recommandations précises visant tout d'abord à augmenter l'activité physique et à améliorer l'alimentation, souvent avec l'aide de médicaments et d'une autosurveillance régulière, comme décrit dans la section précédente.

Si ces associations s'entendent sur les recommandations à faire aux diabétiques, celles-ci souffrent d'une limitation majeure : même appliquées à la lettre, elles ne parviennent pas à inverser le cours de la maladie ni à arrêter sa progression à long terme.

En effet, même si vous suivez les directives officielles, perdez de 5 à 10 % de votre poids, mangez mieux, faites de l'exercice 150 minutes par semaine et prenez vos médicaments, il est presque certain que votre diabète continuera de progresser et que votre capacité à produire de l'insuline et à maîtriser votre niveau de sucre dans le sang régressera.

En d'autres termes, même si vous respectez à la lettre les recommandations de votre médecin ou de votre association de diabète, vous êtes engagé sur une voie qui mènera, inévitablement, à l'augmentation de vos médicaments, à l'introduction de l'insuline et, ultimement, à l'insulinodépendance. Et ça, c'est dans le meilleur des cas, car les études montrent qu'il est difficile, voire très difficile, de respecter ces conseils de base, ce qui complique encore plus la gestion de votre maladie.

Qui est à blâmer ? Les associations diabétiques, les médecins, les directives, ou nous, les malades ?

La réponse, évidemment, c'est qu'un peu tout le monde est responsable de la situation. En dépit d'évidences scientifiques qui existent depuis plusieurs décennies, les professionnels de la santé et les associations de diabète ont choisi de ne pas préconiser les traitements pouvant mener à la rémission. L'explication en est simple : puisque la plupart des gens ne pourraient pas mettre en pratique les changements nécessaires à la rémission, il est préférable d'éviter de leur en parler, et de leur proposer plutôt des directives plus faciles à suivre qui pourront, au mieux, ralentir la progression de la maladie. Ce faisant, ces associations infantilisent les patients à un coût immense pour chacun d'entre nous et pour la société.

Vous n'êtes pas convaincu de ce qui précède ? Les études sont, malheureusement, sans appel.

Un protocole insuffisant

L'échec du protocole actuel de lutte contre le diabète est souvent attribué au malade, qui ne serait pas capable de l'appliquer convenablement. Or, une étude autrichienne récente montre clairement que le problème ne se situe pas là (Sonnichsen *et al.*, 2010). Cette étude est intéressante, car elle se penche sur l'efficacité d'un protocole qui est presque identique à celui des associations de diabète canadienne et américaine. Elle implique près de 1 500 patients, divisés en deux catégories : un groupe d'intervention et un groupe témoin.

Le groupe témoin était suivi par des généralistes au fait des grandes lignes du protocole de lutte contre le diabète, comme l'est tout médecin de famille. Le groupe d'intervention, de son côté, était assigné à des médecins formés tout particulièrement pour soutenir les diabétiques, une formation incluant dix heures de cours en face à face, élaborés en partie par l'Association autrichienne du diabète, neuf heures d'enseignement sur les relations avec les patients, dont un contact direct supervisé avec des groupes de trois à douze patients, et de la documentation standardisée sur les examens physiques, les tests de laboratoire et leurs résultats, les diverses complications du diabète, les soins interdisciplinaires structurés et les objectifs thérapeutiques à discuter avec les patients tous les trois mois. En gros, ces médecins avaient reçu une formation complète sur les paramètres visés, mais aussi quant à la meilleure approche pour motiver les patients et les amener à respecter les directives générales autrichiennes pour le diabète.

Les résultats de cette étude sont loin d'être rassurants.

Après environ un an d'accompagnement, il n'y avait essentiellement aucune différence entre l'état de santé des participants assignés au groupe d'intervention et celui des membres du groupe témoin. L'étude a révélé une réduction de 0,4 % du taux d'HbA_{1c} dans le groupe d'intervention comparativement à une baisse de 0,3 % dans le groupe témoin, à partir de valeurs initiales de 7,5 % et de 7,4 % respectivement. À la fin de l'étude, les deux groupes avaient donc un taux d'HbA_{1c} de 7,1 % en moyenne.

En dépit d'un accompagnement serré de la part d'un professionnel de la santé dûment formé au protocole recommandé par les autorités médicales, le taux d'HbA_{1c} moyen n'a pas pu être ramené dans l'intervalle cible de 6,5 à 7,0 %. De même, aucun des deux groupes n'a réussi à atteindre les cibles de perte de poids : le groupe d'intervention a réussi à diminuer son IMC de seulement 0,3, alors que le groupe témoin a conservé le même poids qu'au départ. Si le groupe d'intervention a fait mieux, la perte de poids, correspondant à quelques kilos, était négligeable et bien en dessous de ce qui était souhaité.

Le difficile équilibre à trouver dans la lutte contre le diabète

L'étude autrichienne est malheureusement représentative de ce qui se déroule un peu partout dans le monde. En dépit d'une pharmacopée de plus en plus riche et de meilleurs outils pour suivre au quotidien l'évolution du diabète de type 2, l'approche traditionnelle échoue pour la grande majorité des patients, avec des coûts énormes pour les malades ainsi que pour le système de santé. Ces coûts augmentent avec le temps, puisqu'au fil de son évolution le diabète de type 2 exige des interventions médicales toujours plus lourdes.

Bien sûr, le protocole médical a évolué. Ainsi, de nos jours, on prescrit presque systématiquement des statines parallèlement aux médicaments ciblant le diabète, approche qui vise à réduire l'effet à long terme du diabète sur le système cardiovasculaire. Ces avancées, bien qu'importantes, n'affectent pas la progression de la maladie, se contentant d'en limiter les dommages. Encore aujourd'hui, la plupart des diabétiques ne parviennent pas à atteindre et à maintenir les différentes cibles visant à réduire les effets de la maladie sur leur santé.

C'est pourquoi, compte tenu de l'impact de ces lacunes sur la santé des patients et sur les coûts, et en dépit de résultats tels que ceux de l'étude autrichienne, les chercheurs et les spécialistes en santé publique poursuivent leurs efforts pour concevoir une approche permettant d'offrir un soutien systématique aux patients afin d'assurer une meilleure adhésion aux directives et à la prise des médicaments, malgré l'échec patent de celles-ci.

Certaines de ces approches continuent de cibler les spécialistes de la santé, les médecins, les pharmaciens ou les grandes équipes, avec, on l'a vu, un succès limité. D'autres favorisent l'éducation et l'émulation, en facilitant les rencontres entre patients. Après tout, les études le démontrent, une partie du problème ne vient pas de la complexité du protocole lui-même, mais de la difficulté à intégrer au quotidien les changements de style de vie recommandés (Steinsbekk *et al.*, 2012). Et puis, le temps des malades, le nôtre, étant gratuit, contrairement à celui des professionnels de la santé, ces approches ont l'avantage supplémentaire d'être moins chères, qu'elles fonctionnent ou non !

Cela étant, il n'y a aucun doute que l'émulation entre malades rapporte. Après de six mois à un an de réunions de groupe, par exemple, le taux d'HbA_{1c} moyen peut diminuer de près de 0,5 % par rapport au groupe témoin. Des études plus longues, comportant des rencontres qui se tiennent durant trois, quatre ou cinq ans, montrent que ces effets persistent : dans certains cas, les participants aux réunions de groupe avaient un taux d'HbA_{1c} moyen de 1,7 % inférieur à celui du groupe témoin. Les études soulignent toutefois les limites de ces approches. Même si le facteur HbA_{1c} moyen s'améliorait grâce à la pression des pairs, la glycémie à jeun n'était pas meilleure chez ceux qui participaient aux réunions. Les différences étaient également négligeables dans d'autres aspects liés à la santé. Ainsi, les rencontres de groupe ne semblaient avoir aucun effet sur le poids, la pression artérielle ou le niveau de cholestérol. Ces résultats suggèrent que les rencontres de groupe ne permettent pas de ralentir la progression de la maladie, mais facilitent au moins les efforts pour maîtriser la glycémie au quotidien. Cette amélioration est due, en partie, à la fin de l'isolement. En effet, les chercheurs ont observé que les personnes qui suivaient ces programmes d'éducation de groupe étaient plus satisfaites de leur traitement ; il s'agit d'une aide considérable pour assurer le suivi quotidien de la médication, de l'alimentation et du programme d'activité physique.

Si les réunions de groupe et le suivi médical serré ne réussissent pas à ralentir la progression de la maladie, telle que définie par la glycémie à jeun, ces activités peuvent cependant limiter quelque peu l'effet général de la maladie sur la santé. Ces résultats sont intéressants, mais ils sont loin d'être spectaculaires. Ils soulignent plutôt, de nouveau, que les directives des associations de diabète ne sont pas suffisantes pour provoquer les changements essentiels à l'arrêt de la progression de la maladie.

Des modalités incomprises

L'échec de la communauté médicale a été souligné récemment par plusieurs études qui remettent en question la compréhension des mécanismes exacts liant les maladies cardiovasculaires au diabète. Il semble, en effet, que les dommages vasculaires causés par l'hyperglycémie pourraient ne pas être la principale cause du risque cardiovasculaire chez les patients diabétiques. Cette conclusion relativement surprenante s'est imposée à la communauté de la recherche à la suite des résultats inattendus de l'étude ACCORD (Action pour contrôler le risque cardiovasculaire dans le diabète), étude qui a débuté en 2001 et qui a duré près d'une décennie.

Il s'agit d'une étude à grande échelle qui comptait plus de 10 000 participants aux États-Unis et au Canada et qui visait à tester trois traitements pour atténuer les risques cardiovasculaires : la réduction draconienne de la glycémie, la réduction draconienne de la pression artérielle et le traitement des lipides sanguins par la combinaison de deux médicaments, un fibrate et une statine.

Alors que l'étude visait essentiellement à valider une

approche qui paraissait évidente, ses résultats contradictoires ont surpris la communauté, forçant même l'arrêt complet et prématuré d'une des phases. L'influence de cette étude, particulièrement en ce qui concerne le lien entre le diabète et les maladies vasculaires, mérite qu'on s'y attarde un peu.

Considérons d'abord les essais visant à maîtriser la pression artérielle et les lipides sanguins par des approches dynamiques. Dans les deux cas, les résultats montrent qu'il ne sert à rien de s'attaquer à ces conditions avec des traitements intensifs : le risque d'accident vasculaire cérébral n'est pas réduit par ces approches, alors que la qualité de vie des personnes diminue. Il s'agit donc à la fois d'une bonne et d'une mauvaise nouvelle : les traitements actuels semblent optimaux, compte tenu de la médication accessible, mais les chercheurs sont toujours incapables de faire baisser le risque de maladie cardiovasculaire associé au diabète, même en imposant un contrôle plus strict de la pression artérielle et du cholestérol.

Les mauvaises nouvelles ne s'arrêtent pas là. La pire surprise est venue de la dernière partie de l'étude, qui portait sur les bienfaits d'un contrôle serré de la glycémie. Cet essai visait à confirmer les méta-analyses qui, rassemblant plusieurs études indépendantes, indiquaient que chaque baisse de 1 % du taux d'HbA_{1c} conduisait à une réduction de 17 % du risque d'accident vasculaire cérébral. Il s'agissait donc de cibler dynamiquement la réduction du taux d'HbA_{1c} pour le ramener sous la barre des 6,4 %.

Encadrés de près et soumis à une médication forte, les participants ont réussi à atteindre leur objectif : leur taux d'HbA_{1c} moyen était de 6,4 %, contre environ 7,5 % pour le groupe témoin. Ce succès, toutefois, s'est accompagné d'une augmentation notable du taux de mortalité des participants (22 %) par rapport à celui du groupe témoin, forçant l'arrêt prématuré de l'étude et la remise en question des hypothèses défendues par la communauté médicale.

Les chercheurs s'attendaient, bien sûr, à des effets secondaires associés au traitement draconien. Ainsi, on a observé une augmentation du nombre d'épisodes hypoglycémiques, qui sont ennuyeux, certes, mais qui ne sont pas dangereux pour la santé. Le traitement draconien a également induit une augmentation du poids et de la rétention de fluides – 28 % des participants ont gagné 10 kilogrammes ou plus, deux fois plus que le groupe témoin. Encore une fois, bien qu'importante, cette prise de poids n'était pas suffisante pour expliquer l'augmentation importante du taux de mortalité.

Voilà pourquoi ces résultats dérangent. Ils soulèvent de sérieuses questions quant à notre compréhension de la relation entre le diabète et les maladies cardiovasculaires. Cela ne fait qu'ajouter à d'autres observations énigmatiques. Ainsi, la nature des lipoprotéines de basse et de haute densité, et pas seulement leur concentration respective, semble être affectée par le diabète. Cela signifie que même les patients consommant des statines et atteignant les taux de cholestérol cibles continuent de présenter un risque cardiovasculaire élevé.

Ça ne veut pas dire, au quotidien, que vous pouvez arrêter de surveiller votre glycémie. Il existe un lien solide et bien établi entre le diabète, l'hyperglycémie et les maladies cardiovasculaires. Les études montrent aussi, les unes à la suite des autres, qu'il est préférable de maintenir un niveau de sucre dans le sang aussi bas que possible. Les résultats de l'étude ACCORD indiquent toutefois que, même si les avantages pour la santé de cibler un taux d'HbA_{1c} inférieur à 7,0 % sont bien établis, il ne sert à rien de chercher à abaisser celui-ci par un abus de médication. Le traitement actuel, qui vise à maîtriser la glycémie, la pression artérielle et le taux de cholestérol, semble aussi efficace qu'il peut l'être avec les médicaments dont on dispose. L'étude ACCORD montre donc que la communauté médicale est incapable d'aller au-delà du traitement proposé aujourd'hui, en dépit des modèles élaborés sur des décennies. Voilà qui n'est pas très prometteur pour les diabétiques.

Que faire, alors ?

L'échec du protocole proposé aux diabétiques est fondamental et nous interpelle directement. En effet, quels que soient le médicament et l'approche connexe retenus pour maîtriser le diabète, le traitement actuel de la maladie repose en bonne partie sur le patient lui-même. Or, on le sait, les habitudes, une vie trop chargée et la multiplication des préoccupations poussent beaucoup d'entre nous à ne pas observer le traitement à la lettre, ce qui accélère la progression de la maladie, augmentant le risque de graves complications à long terme, avec des coûts importants pour la société. Cet échec à suivre les recommandations est, malheureusement, facile à justifier, puisque le protocole standard recommandé par les associations de diabète et la communauté médicale permet, au mieux, de limiter les dégâts alors que le diabète poursuit son inexorable évolution.

C'est peut-être pour ces raisons qu'en dépit d'une pléthore de données on observe une certaine inertie sur la ligne de front. Celle-ci semble avoir abandonné l'espoir de voir les diabétiques parvenir à une maîtrise serrée de leur glycémie en s'astreignant aux mesures nécessaires pour prévenir la progression de la maladie (Grunberger, 2013). Alors même que l'épidémie progresse, la communauté médicale et les associations de diabète hésitent à proposer des transformations beaucoup plus exigeantes qui, si elles se basent sur des connaissances scientifiques de pointe, pourraient tout simplement décourager les individus d'entreprendre quelque changement que ce soit. On recule donc sur les traitements au lieu de faire connaître les voies de la guérison, tout ça pour ne pas heurter la résistance au changement des patients.

Pas besoin de préciser que je ne défends pas cette position. La responsabilité première de ces groupes est de nous présenter toute l'information et de nous soutenir dans nos choix. Pourtant, quand vient le temps de proposer un traitement ou même, comme on le verra au chapitre suivant, de prévenir l'apparition de la maladie, tant la communauté médicale que les associations de diabète ne choisissent pas la voie de l'information, laissant venir sans réagir une catastrophe mondiale majeure.

CHAPITRE 11

Arrêter l'épidémie ?

Si le protocole standard de lutte contre le diabète de type 2 ne permet pas de guérir la maladie ni même d'en stopper l'évolution, est-il au moins capable de prévenir son apparition ? Ici encore, la réponse est non, un non désespérant.

Au fil des années, les services de santé publique ont tenté de nombreuses approches de prévention. La première s'insère dans les approches plus générales d'éducation à un mode de vie santé qui favorise la perte de poids, une alimentation saine et une activité physique régulière. On l'a vu, en plus d'être généralement bons pour nous, ces choix de vie permettent de diminuer considérablement la pression sur le pancréas et les cellules bêta. Malgré les efforts, toutefois, ce message ne passe pas très bien, son influence est limitée, et la proportion de personnes présentant des signes de prédiabète est en augmentation partout dans le monde.

C'est que les chiffres jouent contre ceux qui voudraient agir de façon plus dynamique pour empêcher la progression du diabète. Ainsi, jusqu'à 35 % de la population adulte américaine peut aujourd'hui être considérée comme prédiabétique, et cette proportion atteint 50 % chez les Américains de plus de soixante-cinq ans. Or, seulement 3 % de cette population développera le diabète chaque année, ce qui signifie que 97 % des prédiabétiques ne le feront pas. Comment convaincre les gens de changer s'il est peu probable qu'ils perdent la maîtrise de leur état dans un avenir proche ?

Pour être efficace au-delà des appels généraux à une vie saine, la prévention a besoin de se concentrer sur les populations les plus susceptibles de développer le diabète. Cet objectif, comme nous le verrons dans ce chapitre, est beaucoup plus difficile à réaliser qu'il n'y paraît.

Qui cibler ?

Le fait de cibler dynamiquement les personnes les plus susceptibles de souffrir du diabète pourrait avoir un effet positif notable sur l'espérance de vie en santé de la population et sur le système de santé lui-même. En effet, de nombreuses études montrent que les modifications apportées au style de vie chez les personnes prédiabétiques contribuent à diminuer considérablement le passage au diabète (Lindström *et al.*, 2008 ; Saito *et al.*, 2011). Dans l'ensemble, les changements de mode de vie généralement recommandés par les associations de diabète, en particulier par rapport à la perte de poids, engendrent une réduction de près de 50 % de la probabilité de souffrir du diabète sur une période de trois ou quatre ans, sans égard au poids initial. Ce pourcentage peut paraître important, mais il ne faut pas oublier que le vrai gain pour chaque individu dépend de la probabilité initiale de passer au stade diabétique.

C'est ce que montre, par exemple, une étude japonaise récente couplant, comme d'habitude, l'amélioration des habitudes alimentaires et l'adoption d'activités physiques régulières. Après trois ans, les participants avaient perdu 2,5 kilogrammes en moyenne. Si cette perte était supérieure à celle du groupe témoin, qui n'avait perdu que 1,1 kilogramme, elle restait relativement mineure. Or, ce changement a permis de réduire de 40 % la probabilité de développer le diabète sur une période de trois ou quatre ans pour les personnes ayant initialement une glycémie à jeun supérieure à 6,1 mmol/l : de 11,8 % dans le groupe témoin, cette probabilité est passée à 7,4 % dans le groupe d'intervention.

Bien qu'intéressants, ces résultats montrent aussi les limites de l'approche. Tout d'abord, les changements de style de vie requis de la part des participants à cette étude, bien que formellement légers, sont difficiles à mettre en place pour la plupart d'entre nous. S'il nous était naturel de faire de l'exercice et de bien manger, nous consommerions déjà de cinq à dix portions de fruits et légumes par jour et ferions un minimum de 150 minutes d'activité physique chaque semaine. Nous éviterions les excès de sucre et de gras et maintiendrions un poids santé. Cependant, nous savons tous, et moi le premier, que ce n'est pas le cas. Et nous ne sommes pas seuls.

De plus, si ces changements permettent de réduire de près de moitié le risque de souffrir du diabète à l'échelle relative, cette diminution n'est que de 5 % dans l'absolu. Sommes-nous prêts à nous embarquer dans des changements fondamentaux pour une réduction de 5 % du risque de développer cette maladie ?

Voilà toute la difficulté du défi : puisque la plupart des prédiabétiques ne passeront pas au stade diabétique au cours des prochaines années, comment les convaincre de modifier leurs habitudes ? C'est pourquoi la plupart des directives et des études ont tendance à mettre des gants blancs quand vient le temps de recommander des changements de mode de vie, essayant d'éviter de bouleverser trop rapidement des habitudes profondément enracinées. On en vient alors à proposer des objectifs qui dérangent nos habitudes et qui demandent de réels efforts, mais qui ne sont pas assez ambitieux pour mener à des résultats significatifs.

Or, convaincre les gens d'apporter des changements importants à leur mode de vie et les accompagner dans ces modifications est une activité coûteuse pour le système de santé. Comme société, nous n'avons tout simplement pas les moyens de nous attaquer à l'ensemble des prédiabétiques, surtout que, moins le risque de passer au diabète est grand, plus le taux de succès est faible. Après tout, si je dois adopter un régime alimentaire riche en fibres et pauvre en calories, faire plus de trois heures d'exercice physique par semaine et viser une perte de poids d'au moins 5 % de ma masse corporelle (10 livres pour un homme de 200 livres ; 8 livres pour une femme de 160 livres) pour faire passer ma probabilité de souffrir du diabète au cours des quatre prochaines années de 12 à 7 %, il est peu probable que j'y mette les efforts nécessaires. Par contre, si ce régime me permettait de réduire de 50 à 10 % les probabilités d'avoir cette maladie, ce serait une autre histoire.

C'est l'approche retenue par une étude américaine récente, le Diabetes Prevention Program, étude réalisée sur une cohorte de plus de 3 000 participants, qui mettait justement l'accent sur les individus à risque élevé. Le programme proposait un changement de vie plus ambitieux que l'étude japonaise sans être draconien, ciblant une perte de 7 % du poids corporel et 150 minutes d'activité physique par semaine (Glauber et Karnieli, 2013). La différence entre les deux études résidait surtout dans le choix des participants : en partant avec un groupe à risque élevé, il était possible d'offrir de meilleurs gains potentiels. En suivant les recommandations du programme, ces participants ont vu leur probabilité de passer au diabète sur trois ans diminuer de manière plus marquée qu'avec le groupe retenu dans l'étude japonaise, passant de 29 % (près d'une chance sur trois) dans le groupe témoin à 14 % (une chance sur sept) dans le groupe d'intervention, avantage qui persistait dix ans plus tard. Voilà un gain plus à même de convaincre des gens de modifier leurs habitudes.

Même lorsque des changements de style de vie produisent des avantages directs, comme ceux qu'on vient de voir, la réticence au changement est beaucoup plus forte que pour la simple prise de médicaments. Pour être franchie, cette barrière requiert des interventions prolongées et des ressources importantes, sans garantie de succès. C'est pourquoi, aux prises avec des ressources limitées, les systèmes de soins de santé préfèrent de plus en plus la médication à la formation au cours de la phase de prévention.

Dans cette optique, le deuxième volet de l'étude américaine citée plus haut s'est attaqué à la médication, considérant l'effet de l'utilisation de 850 milligrames de metformine deux fois par jour. Bien que moins efficace que le changement de style de vie, ce traitement a permis de réduire de près d'un tiers l'incidence du diabète après trois ans, même dans les groupes moins touchés par les changements de style de vie, tels que les patients plus jeunes et obèses et les femmes atteintes de diabète gestationnel. Cet effet positif diminue cependant beaucoup plus vite que dans le cas des changements de style de vie. Après dix ans, par exemple, la metformine n'avait permis de réduire que de 20 % le passage au diabète, contre 50 % chez ceux qui avaient adopté un meilleur mode de vie. Ces résultats ne sont pas très surprenants puisqu'on sait que la metformine n'agit pas directement sur les causes de la maladie (Portero McLellan *et al.*, 2014). Certains des nouveaux médicaments présentés dans la section précédente pourraient toutefois changer notre approche de la prévention. Bien que les études à long terme fassent encore défaut, les TZD, par exemple, qui peuvent restaurer les fonctions pancréatiques des cellules bêta en facilitant l'élimination de la graisse du foie et du pancréas, semblent avoir un certain succès pour réduire l'incidence du diabète ou en retarder l'apparition, offrant une réduction de 60 % par rapport au placebo, en particulier lorsqu'ils sont associés à la metformine, ce qui permet de limiter la prise de poids (Portero McLellan *et al.*, 2014). Il est encore trop tôt, cependant, pour connaître les effets à long terme de cette combinaison de médicaments sur le passage du prédiabète au diabète.

Définir les bons seuils

On en revient donc à la question du début : est-il possible de définir avec précision le groupe d'individus le plus à risque de développer le diabète afin de le cibler ? Après tout, même les participants à l'étude américaine n'avaient, au pire, qu'une probabilité d'un sur trois de passer à ce stade après trois ans.

Il est évident que les seuils établis par les diverses associations médicales ne sont pas très utiles sur ce plan. En effet, en prenant des bandes de plus en plus larges de glycémie pour définir l'état prédiabétique, les associations finissent par inclure une proportion toujours plus grande de gens qui ne seront pas affectés par le diabète, limitant considérablement la signification de ce diagnostic (Glauber et Karnieli, 2013). Il demeure nécessaire de concevoir une approche plus sophistiquée pour déterminer le niveau de risque des prédiabétiques, afin de repérer les individus qui courent le plus de risques de souffrir du diabète.

C'est ce à quoi s'est attaquée une étude à grande échelle sur la population japonaise. En recoupant les différents indicateurs, elle a pu montrer que la quasi-totalité des personnes présentant un facteur HbA_{1c} de 6,0 à 6,4 % et une glycémie à jeun de 6,1 à 6,9 mmol/l auront le diabète sur une période de cinq ans, alors que cette probabilité est de quelques pour cent seulement chez celles dont le taux d'HbA_{1c} est inférieur à 6 % et dont la glycémie à jeun est sous la barre des 6,1 mmol/l. En fait, jusqu'à 30 % des individus appartenant à ce groupe présentent même un retour à l'état glycémique normal au cours de cette période (Heianza *et al.*, 2012).

La combinaison de ces deux mesures semble donc être beaucoup mieux corrélée avec la progression de la maladie que chaque indicateur pris séparément. Ainsi, l'étude japonaise suggère d'utiliser une combinaison plus large (HbA_{1c}

de 5,7 à 6,4 % et glycémie à jeun de 5,6 à 6,9 mmol/l) pour déterminer les populations prédiabétiques, et cette combinaison plus serrée (HbA_{1c} de 6,0 à 6,4 % et glycémie à jeun de 6,1 à 6,9 mmol/l) afin de repérer les personnes les plus à risque, personnes qui doivent agir rapidement puisque, selon l'étude, elles ont déjà une probabilité de 50 % d'atteindre le stade diabétique dans les deux ans suivant le diagnostic (Heianza *et al.*, 2012).

D'un point de vue médical, ces résultats soulignent les désavantages des stratégies adoptées par les diverses associations de diabète, qui définissent l'état prédiabétique de manière trop large. Bien sûr, cette approche a l'avantage de détecter très tôt la plupart des individus à risque de souffrir du diabète. Ces marges, toutefois, retiennent également une fraction importante de *faux positifs*, individus qui n'ont aucun risque de progresser vers le diabète au cours des cinq années suivant le dépistage et qui, dans bien des cas, repasseront à l'état normal. Impossible, avec de tels critères, de mettre en place des programmes d'intervention dynamiques et efficaces. On ne peut, pour ces populations, que se contenter de faire de l'éducation générale.

Il serait beaucoup plus rentable pour la santé publique de suivre les enseignements de l'étude japonaise et de retenir la combinaison de deux indicateurs avec des seuils mieux adaptés, pour concentrer ses efforts sur les gens les plus à risque de passer au stade diabétique dans un avenir proche, justifiant des changements de mode de vie, voire l'introduction précoce d'un traitement médicamenteux.

Arrêter l'épidémie

Vu la croissance alarmante du nombre de cas de diabète à l'échelle mondiale, le système de santé fait face à un défi important au chapitre de la prévention de la maladie. Pour le relever, il doit identifier avec précision les individus à risque élevé, qui commandent une attention particulière. Les grilles actuelles ne répondent pas à ce besoin et regroupent, sous un même vocable, une trop grande fraction de gens qui n'auront pas le diabète à court ou à moyen terme, ce qui dilue l'efficacité des efforts de prévention mis en place par diverses organisations, alors qu'on sait que, bien ciblées, les interventions rapides et précoces permettent de réduire considérablement les risques ou de ralentir la progression vers la maladie, offrant un gain notable en espérance et en qualité de vie pour les individus ciblés, en plus d'éviter des coûts importants au système de santé.

Bien sûr, certaines études suggèrent qu'on devrait considérer l'état prédiabétique comme une maladie en soi, indépendamment du diabète, puisque les taux de glucose sanguin qui y sont attachés augmentent le risque de souffrir de diverses maladies, dont les affections rénales et cardiovasculaires (Portero McLellan *et al.*, 2014). Une intervention aurait donc des effets bénéfiques même pour des personnes qui n'auraient jamais eu le diabète. Si la prévention a d'abord pour but de réduire ces risques, il faut le dire clairement, pour permettre aux gens de faire des choix éclairés.

Aujourd'hui, on le voit, tant la prévention du diabète que sa gestion sont un échec majeur du système de santé. La maladie continue de progresser dans le monde, et les traitements du prédiabète et du diabète ne peuvent l'enrayer. Or, des solutions existent, qui peuvent mener à la rémission et à la guérison. Des solutions, comme on le verra dans la prochaine section, qui sont à la portée d'une grande partie d'entre nous.

QUATRIÈME PARTIE

VAINCRE LE DIABÈTE DE TYPE 2, C'EST POSSIBLE !

CHAPITRE 12

Le constat

Comme je l'explique dans l'avant-propos, le diagnostic de diabète de type 2 a été un véritable choc pour moi.

Sans hésiter un instant, j'ai décidé de changer de mode de vie et de respecter à la lettre les recommandations de mon médecin. Je voulais à tout prix éviter les contrecoups de cette terrible maladie. Dès mon diagnostic, j'ai donc coupé le sucre et les grignotines que je mangeais entre les repas, surtout le soir. J'ai modifié en profondeur mes habitudes alimentaires, réduisant les portions et ajoutant beaucoup de légumes. Ainsi, suivant le *Guide alimentaire canadien*, je me suis assuré, à partir de ce moment, de toujours remplir la moitié de mon assiette de salade ou de légumes cuits.

Je ne me suis pas arrêté là. Je me suis également mis à la course, une activité qui ne m'avait pourtant jamais attiré. Mon but était de courir au moins trois fois par semaine. J'ai commencé doucement (après tout, je pesais 225 livres), courant deux minutes et en marchant une, le tout pour une durée de quinze, de vingt, puis de vingt-cinq minutes. Je suis ensuite passé à des séances de cinq minutes de course, suivies d'un peu de marche, pour atteindre, après deux mois, ma cible de quarante-cinq minutes de course sans pause.

Les effets de mon changement de style de vie ont mis un certain temps à se manifester. À ma deuxième visite chez le médecin, six semaines après mon diagnostic, je pesais 222 livres, et ma glycémie à jeun dépassait 8,0 mmol/l. Mon médecin a alors augmenté ma dose de metformine, passant à deux fois 850 milligrammes par jour, et m'a conseillé de consulter une nutritionniste. Ce que j'ai fait, même si, ayant déjà adopté le *Guide alimentaire canadien* comme bible, je n'ai pas appris grand-chose de celle-ci, qui a confirmé, en gros, que j'étais sur la bonne voie.

J'ai poursuivi mes efforts assidûment durant les six mois suivants, faisant très attention à mon alimentation et continuant mon exercice physique. Si bien qu'à la fin de 2013 je ne pesais plus que 192 livres, soit 30 de moins qu'en mai, sans effort indu, ayant simplement évité le gras et les aliments sucrés, réduit l'alcool à un verre par semaine et coupé les portions, mais sans jamais connaître la faim.

Pendant cette période, j'ai aussi réussi à maîtriser mon niveau de sucre. Oscillant généralement entre 5,0 et 6,0 à jeun, il dépassait rarement 8,0 à 8,5 mmol/l après les repas. De toute évidence, mes efforts commençaient à porter fruit. Malgré tout, les jours où j'oubliais de prendre mes médicaments, ma glycémie passait au-dessus de 6,0 et atteignait parfois 7,0 mmol/l le lendemain matin.

Il fallait, pour compléter ma médication, continuer à faire attention à ce que je mangeais. Ce n'était pas facile et, au cours des mois suivants, il m'a fallu bien des efforts pour éviter de reprendre du poids. En avril 2014, un an après mon diagnostic, j'avais réussi à me stabiliser à 192 livres, je courais quarante-cinq minutes deux ou trois fois par semaine et, avec l'aide de 850 milligrammes de metformine deux fois par jour et d'une alimentation saine, je parvenais à maintenir ma glycémie à l'intérieur des valeurs cibles avant et après les repas.

Un espoir réel ?

En dépit de ces transformations, je savais bien que mon état ne pouvait que se détériorer ; l'information recueillie sur les sites consacrés au diabète ne me laissait pas beaucoup d'espoir. Au contraire, elle confirmait le pronostic de mon médecin. Comme je l'ai expliqué un peu plus tôt, toute la littérature est orientée vers la maîtrise de la maladie à mesure qu'elle progresse et que les cellules bêta meurent les unes après les autres. On nous apprend, avant tout, à vivre avec une médication de plus en plus forte, des restrictions de plus en plus pénibles et le passage, étape ultime, à l'insuline.

Ce n'était pas du tout la vie que je voulais

C'est pourquoi les travaux de Roy Taylor, de l'Université de Newcastle, au Royaume-Uni, découverts un peu par hasard comme je le raconte dans l'avant-propos, ont immédiatement attiré mon attention. Portant le titre rébarbatif de « Reversal of type 2 diabetes: Normalisation of beta cell function in association with decreased pancreas and liver triacylglycerol[1] », l'article, publié en 2011 dans la revue

1. *Rémission du diabète de type 2 : normalisation de la fonction des*

scientifique *Diabetologia*, présentait les résultats d'une étude portant sur onze patients diabétiques et suggérait qu'il était possible d'obtenir la rémission de cette maladie en reproduisant les effets de l'opération de dérivation gastrique par une alimentation fortement réduite en calories.

La plupart de ces mots ne me disaient pas grand-chose au début, mais les données présentées dans l'article étaient suffisamment impressionnantes pour attirer mon attention. Après quelques heures passées à vérifier les références et à valider les études, j'étais convaincu : contrairement aux nombreuses cures présentées sur Internet, celle-ci était bien appuyée par des faits, des données expérimentales et une compréhension toujours plus fine de l'effet des graisses sur le pancréas.

Vous n'avez pas besoin de me croire sur parole. Je vous invite plutôt à refaire ce chemin avec moi au cours des trois prochains chapitres, afin de vous convaincre de la solidité scientifique de cette approche. Une fois convaincu, vous serez plus motivé à entreprendre le traitement vers la guérison totale!

---

cellules bêta associée à la diminution du triacylglycerol dans le pancréas et le foie.

CHAPITRE 13

La régénérescence possible des cellules bêta

Le traitement de Roy Taylor s'appuie sur les travaux les plus récents sur le diabète, travaux qui bouleversent notre compréhension de la maladie, de ses processus physiologiques ainsi que de l'évolution des affections associées. Ces résultats transforment la vision que nous avons du diabète, remettent en question plusieurs certitudes et offrent quelques pistes très prometteuses quant à la gestion du diabète.

Ces découvertes ont le pouvoir de révolutionner le traitement du diabète. Mieux encore, bien qu'elles soient presque ignorées par la communauté médicale, elles montrent une voie vers la maîtrise et la guérison de cette maladie.

Ces affirmations semblent trop belles pour être vraies, j'en conviens. Pourtant, comme vous le verrez dans les prochaines pages, elles s'appuient sur des résultats rassemblés sur plus de quarante ans et suffisamment concrets pour qu'on puisse les mettre en pratique avec l'aide de programmes aussi simples que celui que j'appelle *diète pseudo-chirurgicale.*

Avant d'arriver à cette diète, arrêtons-nous sur certains des travaux qui remettent en question l'idée que le diabète de type 2 est une maladie irréversible.

Régénérer les cellules bêta du pancréas

Les résultats les plus importants des dernières années en ce qui concerne le diabète portent sur le comportement des cellules bêta pancréatiques. Celles-ci sont responsables de la production d'insuline et font l'objet d'une attention particulière de la part des chercheurs depuis plusieurs décennies. Ce n'est que tout récemment, toutefois, qu'on a réussi à démontrer hors de tout doute les processus de régénérescence de ces cellules.

Les chercheurs et les praticiens ont longtemps accepté le fait que les cellules bêta ne se remplacent pas. L'évolution même du diabète est directement liée à la perte graduelle de ces cellules : à mesure que leur masse s'amenuise, la capacité du pancréas à produire de l'insuline en réponse à des niveaux élevés de glucose sanguin diminue pour, tôt ou tard, cesser complètement. Cette évolution est compatible avec la nature progressive et irréversible de la maladie. Le déclin de la fonction des cellules bêta commence tôt – six ou sept ans avant le diagnostic – et se poursuit irrémédiablement (Girard, 2005). Comme on l'a vu, aucun médicament traditionnel ne parvient à inverser ni même à stopper cette progression. Qu'il s'agisse de metformine, de sulfonylurées ou d'insuline, les traitements ne font que retarder le déclin, qui, une fois l'effet des médicaments intégré par l'organisme, se poursuit au même rythme que chez les patients ayant adopté seulement un bon régime alimentaire.

Au cours des dernières années, un certain nombre de résultats ont obligé les chercheurs à réévaluer cette compréhension du pancréas. Par exemple, des études effectuées sur le rat Goto-Kakizaki, un modèle animal utilisé pour le diabète de type 2, montrent que les cellules bêta peuvent être régénérées chez les jeunes rats, mais aussi chez les rats adultes, ce qui était tout à fait inattendu (Girard, 2005). De nouveaux médicaments, comme les analogues du GLP-1 qu'on a vus plus tôt, ont également montré, à l'encontre de tout ce qu'on pensait savoir, qu'ils pouvaient contribuer à augmenter la masse des cellules bêta, ce qui suggère encore une régénération possible chez les humains, bien que l'effet de longue durée reste à établir.

Même si le processus qui mène à la défaillance des cellules bêta reste mystérieux, on pense qu'il est lié à deux mécanismes : la glucotoxicité, c'est-à-dire l'effet toxique provoqué par la concentration élevée de glucose dans le sang, et la lipotoxicité, associée à la présence de molécules de graisse.

Le premier mécanisme est encore obscur. Selon les chercheurs, une forte concentration de glucose pourrait altérer la production de transporteurs de glucose de type GLUT2 à l'intérieur de la cellule bêta ou accroître la quantité de glycogène contenue dans ces mêmes cellules. Ces transformations entraîneraient une augmentation de la résistance à l'insuline par la réduction de l'expression d'un autre transporteur de glucose, le GLUT4, ainsi que de l'activité de quelques enzymes clés associées au métabolisme du glucose (Girard, 2005). En gros, donc, l'élévation du taux de glucose mène à une plus grande résistance à l'insuline, ce qui force les cellules bêta à travailler doublement.

La sensibilité des cellules bêta à la présence de graisse est beaucoup mieux comprise aujourd'hui. Par exemple, on observe chez les sujets obèses une accumulation de triglycérides dans les îlots de Langerhans. Ces molécules affectent directement les cellules bêta en favorisant la production d'oxyde d'azote, un composé toxique qui réduit leur capacité à produire de l'insuline et accélère leur déclin.

La génétique : des promesses, mais toujours pas de résultats

La génétique, lit-on souvent, est la voie de l'avenir dans le traitement des maladies comme le diabète. Malgré ces promesses, les résultats sont minces. En effet, le diabète est une maladie complexe qui n'a pas de signature génétique bien claire : les chercheurs ont trouvé plus de cinquante gènes qui lui sont associés, mais aucun de ceux-ci ne présente de lien causal avec le développement de la maladie ou avec les facteurs qui favorisent son apparition, comme la résistance à l'insuline et l'obésité (Kaput et Dawson, 2007).

Sans conteste, une meilleure compréhension de la relation entre la génétique et le diabète pourrait aider à concevoir des traitements qui tiennent compte des particularités de chaque individu, permettant de proposer, potentiellement, un bien meilleur traitement élaboré sur mesure afin de ralentir la progression de la maladie. Pour le moment, toutefois, on est loin d'une telle approche, et les recherches suggèrent plutôt que le diabète est un état systémique complexe qui dépend d'un ensemble de gènes dont le rôle est encore indéfini.

D'un point de vue technique, le grand nombre de gènes associés au diabète complique la tâche des chercheurs, car il devient difficile de recueillir suffisamment de données pour bien distinguer la contribution de chaque gène. Quels sont les gènes impliqués dans l'apparition de la maladie ? Quels sont ceux qui jouent un rôle plus tard, lorsque celle-ci est en place ? Une sensibilité spécifique, par exemple à l'inflammation, peut se révéler lorsque le diabète progresse, amplifiant l'effet de l'hyperglycémie sans provoquer directement la résistance à l'insuline ou l'augmentation du niveau de sucre dans le sang. La multiplicité des gènes cibles accroît la dimension de l'analyse, et on a besoin de plus grands ensembles de données afin d'établir des corrélations significatives. Aujourd'hui, les bases de données ne sont tout simplement pas suffisantes pour faire le tri et déterminer si ces multiples gènes doivent être analysés ensemble ou séparément et s'ils permettront de définir des catégories assez vastes pour faciliter l'élaboration de traitements ciblés. Le grand nombre de gènes associés au diabète pourrait même simplement être causé par la confusion qui persiste quant aux origines fondamentales de la maladie.

Il ne faut pas, bien sûr, désespérer d'identifier un jour des marqueurs génétiques pouvant orienter les traitements ou mener à de nouveaux médicaments. Toutefois, d'ici à ce qu'on ait fait un peu de ménage dans les résultats actuels, la génétique ne sera pas d'une grande aide dans le traitement du diabète.

Pour des chercheurs comme Girard (2005), ces deux mécanismes sont liés, puisque la transformation des acides gras en triglycérides, stockés dans les cellules bêta, exige la présence de glucose. Or, lorsque le niveau de glucose s'élève, les lipides s'accumulent plus rapidement dans les divers tissus internes du pancréas, du foie et des muscles squelettiques, ce qui contribue à désorganiser la réponse de l'organisme au glucose, faisant augmenter la glycémie et accélérant l'évolution vers le diabète.

L'effet bénéfique des molécules de la famille des thiazolidinédiones sur les cellules bêta pourrait être dû à l'interruption de ce cercle vicieux par des mécanismes qui ne sont pas encore complètement compris. En effet, il ne suffit pas de diminuer les niveaux de glucose, puisque d'autres médicaments, comme la metformine, qui agissent sur ces taux, ne présentent pas les mêmes avantages. Il semble plutôt, d'après des expériences sur des rats, que les TZD agissent simultanément sur les voies de toxicité liées aux niveaux de glucose et de graisse, ce qui pourrait être la clé. Quels que soient ces mécanismes, ils montrent hors de tout doute que la diminution de la réponse des cellules bêta n'est pas irréversible. Cette découverte suscite de grands espoirs pour les diabétiques.

Ces résultats obligent la communauté médicale à repenser son approche de traitement du diabète en se concentrant sur la guérison plutôt que sur la simple maîtrise de la maladie, en particulier pour les prédiabétiques. De toute évidence, les analogues du GLP-1 devraient être intégrés plus rapidement au traitement, malgré leurs points faibles. Il y aurait même lieu de les utiliser dès la détection de la maladie, afin d'arrêter et même d'inverser sa progression. Pour le moment, cependant, cette approche n'a pas été largement adoptée, même si nous savons que le protocole actuel de contrôle du diabète est largement un échec.

Que faire, alors ?

En dépit des dépenses considérables en matière de recherche, notre compréhension du diabète a progressé relativement lentement ces dernières décennies. Malgré les efforts, nous n'avons toujours pas de marqueurs génétiques spécifiques ni de médicament magique pouvant prévenir la maladie ou inverser son cours. En conséquence, la thérapie recommandée pour le diabète reproduit, en bonne partie, les modalités adoptées il y a plus de cinquante ans et est toujours axée sur la gestion d'une maladie dégénérative plutôt que sur une cure réelle.

Or, de nouveaux médicaments, comme les analogues du GLP-1, semblent agir sur la santé des cellules bêta et laissent entrevoir un véritable traitement. Pas besoin d'attendre les résultats des études en cours sur les effets à long terme de cette substance, toutefois. On peut dès maintenant se tourner vers les effets absolument ahurissants d'un procédé chirurgical proposé il y a plus d'un demi-siècle, qui démontre sans l'ombre d'un doute qu'il est possible de guérir le diabète, mais dont on parle très peu. Nous allons combler ce manque d'information dès maintenant !

CHAPITRE 14

La chirurgie bariatrique

L'une des découvertes récentes les plus importantes en ce qui concerne le diabète est arrivée d'une direction totalement inattendue. En effet, la première démonstration claire que le diabète est une maladie réversible vient d'une intervention visant un problème de santé différent, mais connexe : l'obésité.

Les premières chirurgies bariatriques ont été réalisées au milieu des années 1960 sur des patients ayant une très faible espérance de vie (Griffith *et al.*, 2012). Puisque l'obésité morbide est associée par définition à des effets graves à court terme sur la santé, le but de ces interventions était d'abord et avant tout de faciliter la perte de poids chez les personnes pour qui les traitements standard avaient échoué à répétition ; cela leur permettait de retrouver une vie normale et saine. Encore aujourd'hui, ces chirurgies visent surtout les cas d'obésité majeure, mais leur nombre a considérablement augmenté au cours des dernières années, suivant la croissance de cette condition dans le monde développé. Au Canada seulement, le nombre de patients subissant chaque année une chirurgie bariatrique a bondi de plus de 60 % entre 2005 et 2009 (Griffith *et al.*,

2012). De notre point de vue, cette hausse alarmante a l'avantage de fournir des statistiques beaucoup plus solides quant aux effets de ces interventions.

L'expression *chirurgie bariatrique* englobe un certain nombre d'interventions chirurgicales, dont, bien sûr, la dérivation gastrique avec Y de Roux (souvent appelée *bypass gastrique*), qui compte pour environ 70 % des chirurgies bariatriques dans le monde, mais aussi la gastrectomie verticale et la bande gastrique réglable. Récentes ou non, toutes visent à modifier l'appareil digestif de manière à diminuer la quantité de nourriture pouvant être assimilée afin de faciliter la perte de poids et, au fil du temps, sa maîtrise.

Ces opérations sont draconiennes. Le *bypass* gastrique, par exemple, réduit le volume de l'estomac pour en faire une poche de seulement 20 à 40 millilitres, environ deux cuillères à soupe ! Les personnes ayant subi ce type de chirurgie doivent changer complètement leur mode de vie et s'alimenter fréquemment, à petites doses, car la quantité de nourriture qu'elles peuvent absorber à un moment précis est fortement restreinte.

En dépit des risques importants associés aux chirurgies majeures, l'opération bariatrique induit généralement une amélioration très rapide de la santé des patients. Des études montrent, en effet, que la perte de poids est immédiate, considérable et, pour environ 80 % des patients, maintenue après dix ans, ce qui se compare avantageusement aux résultats obtenus avec les efforts de changement de style de vie couplant régime alimentaire et activité physique. Ces études signalent également une amélioration significative de plusieurs indicateurs de santé, y compris une meilleure maîtrise de la glycémie, l'aspect le plus intéressant en ce qui nous concerne.

Le lien entre chirurgie bariatrique et perte de poids

Aussi étonnant que cela puisse paraître, les chercheurs s'interrogent toujours, plus de quarante ans après les premières interventions chirurgicales de ce type, sur les mécanismes qui causent la perte de poids.

Bien sûr, tous s'accordent sur le fait que la réduction de la taille de l'estomac joue un rôle important parce qu'elle limite la quantité de nourriture ingurgitée. Toutefois, des études détaillées suggèrent que ces interventions chirurgicales ont aussi des effets complexes sur l'ensemble du processus digestif, bien au-delà de la quantité de nourriture consommée. Trois effets semblent contribuer particulièrement à la perte de poids : la vitesse à laquelle la nourriture passe par le système digestif, les réponses hormonales de l'intestin et l'entrée retardée de la bile dans l'intestin grêle distal (Tham, Howes et Le Roux, 2014). Ces effets ont des conséquences multiples sur la gestion de la nourriture par l'organisme.

Après une dérivation gastrique, la nourriture arrive plus rapidement dans l'intestin moyen que par le chemin habituel, ce qui accélère les réponses hormonales responsables d'envoyer un signal de satiété au cerveau. La chirurgie bariatrique permet donc de se sentir rassasié après qu'une petite quantité de nourriture a été ingérée, ce qui diminue le besoin de plus grandes portions. Cet effet de satiété n'a rien à voir avec la perception ; il est purement physiologique et a été observé chez des rats qui, après avoir été soumis à ce type de chirurgie, ont montré un certain dédain pour les régimes riches en matières grasses. En modifiant la réponse hormonale durant la digestion, la dérivation bariatrique induit donc une satisfaction accrue à la suite des repas tout en réduisant la valeur de récompense qu'ont généralement les aliments sucrés et gras. Les patients se tournent alors naturellement vers des aliments présentant des indices glycémiques plus faibles, ce qui les aide à perdre du poids et à maintenir leur taille.

L'obésité grave est souvent associée à un métabolisme relativement lent. Or, on observe que les patients ayant subi une intervention bariatrique présentent une augmentation de leur dépense d'énergie par rapport à celle d'avant la chirurgie, ce qui contribue à la perte de poids et au maintien de celui-ci. Cette accélération du métabolisme est loin d'être comprise, mais de nombreux chercheurs estiment qu'elle pourrait être due à l'interaction plus rapide avec la bile, résultat de la chirurgie.

Les débats se poursuivent quant aux avantages particuliers des diverses chirurgies bariatriques, chacune ayant ses défenseurs et ses détracteurs. Ce dont on est sûr, c'est que, même s'il reste beaucoup de détails à comprendre, toutes ces interventions permettent de perdre du poids et mènent, à des degrés qui restent à préciser, à une amélioration nette de la santé des patients. Voilà déjà de quoi nous intéresser.

Les retombées de la chirurgie bariatrique

La chirurgie bariatrique affecte presque tous les signes vitaux, généralement pour le mieux, même s'il y a des exceptions. Par exemple, la pression artérielle s'améliore rapidement après la chirurgie mais, une fois le poids stabilisé, elle revient aux valeurs préopératoires dans les trois quarts des cas. Quarante ans après les premières interventions de ce type, les raisons de cet effet yo-yo sur la pression artérielle ne sont toujours pas claires (Dixon *et al.*, 2008).

Indépendamment de cette question, il ne fait aucun doute que la réduction importante de poids qui résulte de la chirurgie ne peut avoir qu'un effet positif sur le cœur et le système vasculaire. Et ça ne s'arrête pas là, bien sûr. Les effets sur presque tous les signes vitaux directement liés au poids sont, eux, fortement corrélés avec l'intervention. Après une chirurgie bariatrique, par exemple, on observe généralement une diminution du cholestérol total, des triglycérides et des lipoprotéines de basse densité (LDL), ainsi qu'une augmentation des lipoprotéines de haute densité (HDL), le « bon cholestérol », ce qui contribue, avec la perte de poids et l'amélioration de la glycémie, à réduire de manière notable le risque cardiovasculaire.

La chirurgie bariatrique permet aussi de réduire l'inflammation chronique, une affection très grave étroitement associée à l'obésité et au diabète de type 2. Cette affection, on l'a vu plus tôt, provoque des lésions dans de nombreux organes et est la principale cause de morbidité et de mortalité chez les diabétiques de type 2. Or, on observe une diminution marquée des dommages rénaux et d'autres marqueurs liés à l'inflammation chronique après la chirurgie, amélioration possiblement liée à une baisse générale de la résistance à l'insuline et à d'autres changements internes plus difficiles à caractériser, mais qui s'ajoutent aux effets positifs de la chirurgie bariatrique (Tham, Howes et Le Roux, 2014).

Les effets de la chirurgie bariatrique sur le diabète

Nous avons effleuré, au paragraphe précédent, le lien entre la chirurgie bariatrique et le diabète, soulignant que l'opération diminue la résistance à l'insuline. Cet effet n'est pas surprenant. Après tout, le protocole standard pour le traitement du diabète recommande une légère perte de poids afin, justement, d'améliorer cet aspect de la maladie. Or, les effets de la chirurgie vont beaucoup plus loin.

Peu après qu'on eut commencé à pratiquer ce type d'intervention, les chercheurs ont observé un lien marqué entre la chirurgie bariatrique et la maîtrise du diabète chez les individus obèses. Dès 1978, on a remarqué que la chirurgie conduisait à une diminution considérable de la glycémie chez les diabétiques. Même si les effets sur la maladie varient considérablement d'une étude à une autre, la relation est claire : les chirurgies bariatriques mènent systématiquement à une réduction de la glycémie à jeun chez les diabétiques, *indépendamment de leur glycémie initiale.* Cette baisse est observée tant chez les individus ayant récemment reçu le diagnostic que chez ceux souffrant depuis longtemps de cette maladie et nécessitant l'injection d'insuline (Dixon *et al.*, 2008 ; Tham, Howes et Le Roux, 2014).

Ces observations sont confirmées par un grand nombre d'études, qui soulignent aussi le rôle indéniable des chirurgies bariatriques dans la réduction du taux d'HbA_{1c}, un marqueur associé à la glycémie moyenne. Bref, ces interventions sont, sur ce plan, plus efficaces que la combinaison des médicaments et des modifications du style de vie. Encore une fois, ces gains ne sont pas surprenants en soi : la moitié des personnes ayant reçu un diagnostic de diabète sont obèses, et la perte de poids permet l'amélioration de la santé en général, car elle rend plus efficace la gestion du sucre par l'organisme.

Pour la plupart des chercheurs, le véritable choc ne réside donc pas tant dans la tendance observée que dans l'ampleur des bénéfices. Alors que le protocole standard permet, au mieux, de ralentir la progression du diabète, une proportion importante des diabétiques ayant subi une chirurgie bariatrique voient leur état s'améliorer jusqu'à ce qu'ils atteignent la rémission complète ! Personne n'avait prévu un tel effet, qui semble tout simplement impossible pour la communauté de chercheurs spécialisés dans le domaine. Comment expliquer ce « miracle » ?

On sait, bien sûr, que la chirurgie bariatrique est associée à une perte de poids plus rapide et plus importante que celle qui est généralement obtenue avec les régimes alimentaires et les changements de mode de vie. Or, en partie à cause de l'effet des médicaments, il est encore plus ardu pour les diabétiques de perdre du poids que pour la population en général. L'avantage de la chirurgie bariatrique se résumerait-il à la capacité de lever une barrière difficile à traverser ?

Pour la plupart des chercheurs, cette explication est

trop simple et ne cadre pas avec leur connaissance de la maladie. Il faut chercher plus loin, du côté des modifications hormonales. Ainsi, l'augmentation de la quantité de bile causée par la dérivation bariatrique stimulerait la production de diverses hormones, dont le GLP-1, aidant à maîtriser les niveaux de glucose (Tham, Howes et Le Roux, 2014). De même, la chirurgie réduit le temps qui s'écoule entre l'ingestion des aliments et leur contact avec la muqueuse jéjunale, qui envoie alors un signal au foie par l'intermédiaire du cerveau postérieur, lui enjoignant d'augmenter la sécrétion d'incrétine tout en réduisant la production de glucose.

Si les bénéfices observés chez les diabétiques de type 2 ne sont pas dus principalement à la perte de poids, mais à la transformation de tout le système digestif, ils devraient se manifester très tôt après l'opération. C'est ce qu'on observe. Ainsi, la sensibilité à l'insuline s'améliore dans la semaine suivant l'intervention, alors qu'aucun changement n'est observé sur le plan de la production d'insuline et qu'on s'attendrait plutôt à une augmentation de la résistance à l'insuline, réponse habituelle de l'organisme au choc que représentent l'opération chirurgicale et la modification du régime alimentaire.

Par ailleurs, si la rémission diabétique est causée par une transformation du système hormonal, on devrait observer des effets différents selon le type de chirurgie bariatrique. Le débat fait rage, et la question est encore loin d'être réglée. Selon Tham, Howes et Le Roux (2014), la dérivation avec Y de Roux mène en deux ans à une amélioration mesurable du fonctionnement des cellules bêta pancréatiques ; ce changement n'est pas observé après une gastrectomie verticale, même si la plupart des signes vitaux évoluent de façon similaire pour les deux types d'interventions. On ne s'attend pas non plus à retrouver ces mêmes améliorations dans la gestion du glucose après la pose de bandes gastriques, qui n'affectent pas autant les fonctions hormonales de l'intestin. Ces différences pourraient expliquer pourquoi certaines études suggèrent que la dérivation avec Y de Roux mène à des progrès plus marqués que les autres interventions chirurgicales chez les diabétiques.

Malgré ces études, le débat reste ouvert sur la question des avantages liés aux différentes méthodes, particulièrement en ce qui concerne la maîtrise de la glycémie. Si les partisans de la dérivation avec Y de Roux ont tendance à trouver que cette technique fait mieux que, par exemple, la gastrectomie verticale, la preuve directe de cette hypothèse reste à établir, et la lutte entre les diverses écoles est aussi teintée par les gains financiers associés à leur promotion. Puisque plusieurs mécanismes peuvent contribuer à améliorer l'état de santé des individus passant sous le bistouri, le débat risque de se poursuivre pendant des années... mais ce n'est pas ce qui nous concerne ici.

Et si ce n'était qu'une question de poids ?

Les effets positifs des chirurgies bariatriques dans la lutte contre le diabète sont solidement avérés depuis plusieurs décennies. Comme je l'ai écrit plus haut, les études sont claires à ce sujet. Cependant, la plupart de celles-ci ne se concentrent pas directement sur le diabète, mais s'affairent à évaluer les effets généraux de l'intervention. Les chercheurs sont, en effet, avant tout préoccupés par la chirurgie elle-même, ses avantages et ses inconvénients, plutôt que par une maladie particulière, ce qui laisse beaucoup de questions en plan.

Heureusement, une étude relativement récente est, finalement, venue changer la donne. Elle traite spécifiquement de l'effet de la chirurgie bariatrique sur le diabète de type 2 et permet d'établir beaucoup plus solidement le lien entre l'intervention et l'amélioration de la glycémie. Cette étude étant l'une des premières à utiliser un groupe témoin afin d'établir les effets réels de la chirurgie sur le diabète, elle débouche sur des conclusions beaucoup plus solides que ce qu'on avait vu jusqu'alors (Dixon *et al.*, 2008).

Pour cette recherche, soixante patients obèses (dont l'indice de masse corporelle se situe entre 30 et 40), âgés de vingt à soixante ans et ayant reçu un diagnostic de diabète de type 2 au cours des deux années précédentes, ont été recrutés. Au début de l'étude, seulement six participants ne consommaient pas de médicaments hypoglycémiants. En moyenne, les patients présentaient une glycémie à jeun de 8,7 mmol/l et un taux d'HbA_{1c} de 7,7 %, des résultats encore sous contrôle, mais bien au-dessus de ce qui devrait être une cible atteignable avec des médicaments.

Pour faciliter le recrutement d'individus prêts à subir une intervention chirurgicale, les chercheurs ont opté pour un procédé relativement léger : un anneau gastrique ajustable installé par laparoscopie. Cette approche permet une perte de poids importante, tout en présentant très peu de risques postopératoires et un risque de mortalité périopératoire de moins de 0,1 %.

Les participants ont été séparés en deux groupes. Le

premier, comptant trente patients, devait adopter une thérapie traditionnelle combinant médication et éducation. Ce groupe témoin était suivi par un médecin généraliste, une diététiste, une infirmière et un éducateur en diabète, avec des visites toutes les six semaines durant deux ans. En gros, ces participants étaient traités selon le protocole standard présenté dans les chapitres précédents, qui vise à favoriser une meilleure alimentation : nourriture réduite en calories, pauvre en gras, riche en fibres et caractérisée par un indice glycémique faible. On les encourageait également à faire 200 minutes d'activité physique chaque semaine. Bien que des régimes à très faible teneur en calories aient été mis à leur disposition, la perte de poids, suivant les recommandations des associations de diabète, n'était pas le premier objectif; elle devait néanmoins se faire, par les changements de mode de vie.

Le deuxième groupe, le groupe cible, a reçu les mêmes renseignements et un soutien médical similaire, tout en subissant une intervention chirurgicale bariatrique. En plus de rencontrer régulièrement l'équipe spécialisée dans la maîtrise du diabète, ce groupe devait rencontrer l'équipe chirurgicale toutes les quatre à six semaines durant deux ans.

Les résultats, après cette période, sont très clairs : vingt-deux des vingt-neuf patients opérés restés dans le programme étaient en rémission, tandis que seuls quatre des vingt-six participants restants du groupe témoin, suivant la thérapie classique, avaient réussi à guérir, la rémission étant définie par une glycémie à jeun inférieure à 7,0 mmol/l ainsi que par un taux d'HbA_{1c} inférieur à 6,2 % sans médicament ni insuline.

Plus intéressant encore, le seul patient prenant de l'insuline dans le groupe opéré a également obtenu sa rémission. Deux ans après l'opération, il n'avait plus besoin ni de médicament ni d'insuline !

Comme le soulignent les auteurs, ces résultats sont corrélés, d'abord et avant tout, avec la perte de poids des individus. En moyenne, le groupe ayant subi la chirurgie bariatrique avait perdu 21 kilogrammes (moyenne initiale de 106 kilogrammes), tandis que le groupe témoin n'avait réussi à perdre que 1,5 kilogramme en deux ans de suivi. En outre, seuls quatre des trente-quatre patients ayant perdu moins de 10 % de leur masse corporelle présentaient une rémission après la deuxième année. Et ces quatre individus avaient, au début de l'étude, un taux d'HbA_{1c} de beaucoup inférieur à la moyenne, avec une médiane de 6,45 %, contre 7,6 % pour les autres. De même, seuls quatre des vingt-six participants ayant perdu plus de 10 % de leur masse corporelle n'étaient pas en rémission.

D'autres facteurs, pris indépendamment, montrent une certaine corrélation avec le taux de rémission. C'est le cas de l'activité physique. Ainsi, les participants ayant déclaré plus de trois périodes d'activité physique par semaine avaient une plus grande probabilité de rémission que les autres. Toutefois, une analyse plus fine montre que cette corrélation vient du fait que les participants très actifs avaient aussi perdu beaucoup de poids. L'effet de l'activité physique sur le diabète est donc indirect.

Les résultats de cette étude montrent en outre que, contrairement à ce qui est recommandé par les associations de diabète, une perte de 5 à 10 % de la masse corporelle n'est pas suffisante pour engendrer la rémission chez la plupart des diabétiques; une cible de perte de poids beaucoup plus élevée est nécessaire pour vraiment maîtriser le taux de glucose. Plus encore, cette étude montre la place centrale de la perte de poids dans la maîtrise du diabète. En dépit des bénéfices attribués aux modifications du système hormonal qui ont été notées après la chirurgie bariatrique, le principal moteur de la rémission observée chez ceux qui sont passés sous le bistouri semble donc être la perte de poids qui en résulte.

Il faut être prudent, bien sûr, lorsqu'on ne dispose que d'une étude. Celle-ci, en particulier, présente un certain nombre de limitations. Tout d'abord, elle est axée sur des patients obèses dont l'IMC se situe entre 30 et 40. Cependant, nous savons que les obèses ne représentent que de 50 à 60 % des diabétiques et que le reste a un poids normal (environ 20 % des patients) ou affiche un surpoids (de 20 à 30 % des diabétiques). Or, cette étude ne dit rien par rapport à ce groupe important. Deuxièmement, la recherche n'a duré que deux ans. On ne sait donc pas combien de temps la rémission peut se poursuivre ni quel peut être l'effet d'une nouvelle prise de poids.

En dépit de ces limites, cette étude, comme beaucoup d'autres, montre l'importance d'adopter des cibles de réduction de poids beaucoup plus élevées que ce qui est normalement recommandé au patient obèse au moment du diagnostic. Perdre du poids, cependant, est très difficile, comme le montre encore une fois le succès limité du groupe témoin qui, en suivant les recommandations des associations de diabète, n'a réussi à perdre qu'un kilogramme et demi en moyenne sur deux ans, malgré un suivi étroit par une équipe médicale formée. Difficile, on le voit, de prétendre que l'approche classique est la voie du succès.

Pas pour tout le monde

Toute chirurgie est un acte d'agression qui comporte des risques pour la santé. Les chirurgies bariatriques, qui impliquent une reconstruction importante du système digestif, présentent donc des risques réels, même si ceux-ci diminuent avec l'expérience et l'élaboration de techniques toujours plus maîtrisées.

En dépit de ces risques, les chirurgies bariatriques ont apporté un nouvel outil pour la maîtrise du poids, surtout chez les personnes souffrant d'obésité morbide et pour lesquelles les approches classiques ont échoué. Forts de techniques moins intrusives, présentant moins de risques, certains chirurgiens et spécialistes estiment que ces interventions devraient être beaucoup plus fréquentes, notamment parce qu'elles réduisent de manière notable un certain nombre de complications liées à l'obésité et, par conséquent, les coûts sociaux et médicaux associés à celle-ci. Quoi qu'on pense de cette pratique, elle offre une option supplémentaire dans la lutte contre le diabète et contre plusieurs des maladies qui lui sont associées.

Tous sous le bistouri ?

Malgré leurs avantages pour la santé, les chirurgies bariatriques ne sont pas la voie retenue pour la plupart d'entre nous. Elles ne sont certainement pas pour moi ! Ces interventions ont tout de même accru notre compréhension du diabète en montrant, pour la première fois, une voie possible vers la rémission, ce que n'offre pas le traitement classique, bien au contraire.

Quel que soit le type de chirurgie, cette méthode semble garantir, avec une très grande probabilité, une rémission nette, même chez des diabétiques de type 2 ayant recours à l'insuline. Ces résultats confirment donc haut et fort qu'il est possible, contrairement à ce que laisse entendre le message officiel des associations de diabète et des professionnels de la santé, d'arrêter la progression de la maladie et même d'en inverser le cours.

Avons-nous besoin de passer sous le bistouri pour cela ? Comme on le verra au prochain chapitre, la réponse est non. Heureusement !

CHAPITRE 15

Pourquoi est-ce que personne n'en parle ?

À mesure que je lisais les études dont je viens de rapporter les grandes lignes, je ne pouvais m'empêcher de sentir la colère monter en moi : étude après étude, les chercheurs confirment que la chirurgie bariatrique conduit à une rémission du diabète chez 60 à 80 % des patients opérés, taux anormalement élevé qui ne peut être atteint en suivant le traitement proposé par les associations de diabète, basé sur un changement de mode de vie et des médicaments. Comment expliquer, étant donné ces résultats spectaculaires, que l'information acquise depuis quarante ans chez les patients ayant subi une opération bariatrique n'ait pas atteint la communauté du diabète ? Comment peut-on justifier qu'elle soit restée bloquée derrière le mur qui se dresse entre les communautés s'attaquant à l'obésité et celles s'intéressant au diabète ?

On peut, bien sûr, trouver des raisons pour expliquer l'existence de cette barrière. D'abord, il y a la nature invasive des chirurgies bariatriques, qui a limité les études avec groupe témoin et en double aveugle, méthodes de choix pour évaluer l'efficacité des traitements en sciences médicales. On peut aussi supposer que le blocage est dû au fait que ces résultats contreviennent aux principes fondamentaux de l'approche classique du diabète de type 2, selon lesquels cette maladie est irréversible et dégénérative et ne peut, au mieux, qu'être ralentie et maîtrisée. Les études menées par la communauté du diabète, tant du côté des associations de patients et des organisations sans but lucratif que de celui de l'industrie pharmaceutique, évitent donc complètement la question de la rémission. Or, si on ne cherche pas, il est impossible de trouver.

Cela explique pourquoi les bonnes nouvelles provenant des chirurgies bariatriques sont largement considérées, par la communauté du diabète, comme de simples anecdotes qui créent de faux espoirs chez la plupart des diabétiques.

Cette position serait difficile à justifier même si la seule façon de guérir était de passer sous le bistouri. La communauté médicale a l'obligation morale de donner l'ensemble de l'information aux patients, qui peuvent alors choisir en toute connaissance de cause. Or, les associations de diabète et la plupart des médecins évitent avec soin de présenter la chirurgie bariatrique comme un des traitements possibles, malgré des décennies de résultats probants.

Oh, je ne suis pas sûr que j'aurais accepté de me faire opérer et de modifier à jamais la gestion de mon alimentation pour éviter les dégâts du diabète. Toutefois, j'aurais certainement apprécié que mon médecin y fasse au moins allusion.

Guérir en évitant la chirurgie

Heureusement, je n'ai jamais eu à me poser cette question. En effet, de nombreux travaux, également ignorés par la communauté du diabète, montrent qu'on n'a pas besoin de chirurgie pour guérir de cette maladie et qu'il suffit de suivre un parcours bien défini, sans médicament aucun, pour la plupart d'entre nous.

Il existe en effet des régimes alimentaires très stricts qui engendrent une perte de poids similaire à celle causée par la chirurgie bariatrique et dont les effets sur la glycémie ont été étudiés.

Suivant ces régimes, dits à très faible teneur en calories (RFTC), on doit limiter la consommation quotidienne d'aliments à moins de 800 calories, avec des cibles parfois aussi basses que de 400 à 600 calories, alors qu'un adulte requiert généralement de 2 000 à 2 400 calories par jour pour répondre à ses besoins. Avec un apport énergétique de 25 à 30 % de ce qui est normalement nécessaire, ces diètes sont beaucoup plus strictes que les régimes hypocaloriques habituels, qui proposent plutôt d'ingérer de 1 000 à 1 500 calories par jour.

Ces régimes sont à la base des travaux de Roy Taylor, un physiologiste de l'Université de Newcastle, au Royaume-Uni (Taylor, 2013), dont j'ai parlé un peu plus tôt. Ce sont eux qui m'ont redonné l'espoir de guérir du diabète.

J'avais pourtant plusieurs raisons d'être sceptique quant à ce régime. Tout d'abord, une telle diète contredit les directives qui nous sont données par les associations de diabète. Celles-ci nous rappellent constamment qu'il est essentiel de manger régulièrement, idéalement à des intervalles de six heures, afin d'éviter les fluctuations incontrôlées de la glycémie.

Ensuite, et c'est encore plus important, je ne pouvais pas comprendre que, si les travaux de Taylor étaient corrects, les associations de diabète n'en fassent pas la promotion à tue-tête ! Après tout, sa méthode semblait transformer une maladie chronique en affection dont on pouvait guérir.

En effet, le message de Taylor est on ne peut plus clair : il suffit de perdre du poids, beaucoup de poids, bien sûr, pour guérir du diabète, en reproduisant les effets de la chirurgie bariatrique, sans même devoir passer par la table d'opération.

Est-ce vraiment aussi simple ?

CHAPITRE 16

En route vers la guérison : la diète pseudo-chirurgicale

Roy Taylor n'était pas le premier chercheur à s'intéresser aux effets des régimes à très faible teneur en calories sur le diabète. Déjà en 1995, Rena Wing, dans un article publié dans le journal de l'American Diabetes Association, avait expliqué les avantages de ces régimes. Elle avait constaté que ceux-ci menaient à des améliorations importantes du niveau de glucose dans le sang, améliorations beaucoup plus importantes que celles obtenues en perdant le même poids à l'aide d'un régime plus modéré. On savait depuis un bon moment d'ailleurs que, quand on suit ces régimes intensifs, le taux de sucre se stabilise près des valeurs normales et qu'il est souvent possible, alors, de cesser les médicaments par voie orale et l'insuline. Personne avant Wing, pour autant que je sache, n'avait fait le pas suivant : que se passe-t-il lorsqu'on arrête le régime ? La réponse a de quoi surprendre.

Une diète pour guérir

Dans une étude précédente, Wing et ses collègues avaient étudié sept patients obèses et diabétiques soumis à un ensemble de régimes dans le but d'évaluer l'effet de ces changements alimentaires. Après une semaine de régime à 800 kcal/jour, les participants présentaient déjà une baisse notable de leur glycémie à jeun, qui était passée de 12,4 à 9,5 mmol/l (Kelley, 1993). Après huit semaines supplémentaires de ce régime à très faible teneur en calories, suivies de quatre semaines de réalimentation, les participants, ayant perdu en moyenne 12,7 kilogrammes, présentaient une glycémie à jeun de 6,95 mmol/l, un poil sous le seuil officiel de diabète. Et ce, sans médication !

Wing a donc poursuivi son étude. Après une semaine d'alimentation normale, les sujets ont été remis au régime à 800 kcal/jour pendant une semaine, ce qui a fait chuter leur glycémie à jeun à 6,06 mmol/l. L'ensemble du régime à très faible teneur en calories, qui n'a duré au total que dix semaines, a permis aux participants de perdre environ 15 kilogrammes et de réduire de plus de moitié leur glycémie à jeun, les amenant sous la barre de l'état prédiabétique.

Pour évaluer les avantages de ce régime intensif par rapport à ceux des régimes hypocaloriques classiques, Wing et ses collaborateurs ont étudié par la suite deux groupes de diabétiques de type 2 obèses ayant réussi, chacun, à perdre un poids similaire (environ 11 kilogrammes) en suivant soit un régime intensif, soit un régime traditionnel. Les résultats sont surprenants : le groupe soumis à un régime plus intense de 400 kcal/jour présentait, à la fin, une glycémie à jeun de 7,6 mmol/l, contre 10,11 mmol/l pour celui qui avait suivi un régime moins strict. Les participants ayant suivi le régime intensif ont ensuite été soumis à un régime de 1 000 kcal/jour pendant huit semaines, ce qui a engendré une perte de poids supplémentaire de 8 kilogrammes, mais une augmentation légère de la glycémie à jeun, à 8,45 mmol/l. Malgré tout, cette glycémie s'est maintenue même lorsque le régime a été interrompu et que les participants ont repris un peu de poids. Ces résultats sont corroborés par d'autres études montrant que, même si, à la suite du régime, les participants reprennent une partie du poids qu'ils avaient perdu, ils ont souvent besoin de moins de médicaments pour maîtriser leur glycémie. Cet effet n'est pas à négliger et suggère, en fait, que le pancréas profite du régime pour reprendre de la vigueur.

Malgré ces résultats fascinants, l'étude semble avoir été complètement ignorée par la communauté du diabète. Il y a quelques années seulement, on attendait encore de nouvelles études cherchant à confirmer ou à infirmer ces résultats. C'est ici que Roy Taylor entre en scène.

Taylor est un spécialiste de l'utilisation de la spectroscopie par résonance magnétique nucléaire pour l'étude du métabolisme. Il s'intéresse tout particulièrement au lien entre les triglycérides, ou le gras, et les divers aspects du diabète – de la résistance à l'insuline à sa production. La spectroscopie par résonance magnétique nucléaire est un outil remarquable qui permet de détecter directement la présence de graisse à l'intérieur des organes internes. Avant l'avènement de cette technique, cette information pouvait difficilement être obtenue sans une autopsie!

Au cours de ses vingt années de recherche, Taylor a découvert, comme beaucoup de chercheurs du monde entier, que la présence de gras dans le foie et le pancréas contribue à réduire la production d'insuline par les cellules bêta. Ce travail de fond l'a mené à se poser de nouvelles questions quant aux causes réelles des effets surprenants de la chirurgie bariatrique.

Lorsqu'il a commencé à s'intéresser à la question, la position de la communauté médicale était claire : les effets secondaires positifs de cette opération sur le diabète étaient attribuables aux changements hormonaux causés par la chirurgie (position qui, en passant, permettait de justifier l'usage du bistouri). Taylor n'y croyait pas. Il était impossible, selon lui, d'expliquer la normalisation de la glycémie moins d'une semaine après l'opération simplement par des effets hormonaux. Ayant démontré la nuisance que représente le gras pour les organes internes, il a plutôt suggéré que les principaux avantages de la chirurgie bariatrique étaient attribuables à la réduction brutale de l'apport calorique causée par la réduction de la taille de l'estomac, ce qui force l'organisme à brûler rapidement la graisse contenue dans les organes internes. Une fois la graisse disparue, les cellules peuvent retrouver leur fonction normale.

Taylor, reprenant le travail de Wing, s'est attelé à vérifier son hypothèse en concevant une étude à petite échelle s'intéressant à l'effet d'un régime à très faible apport en calories sur le diabète de type 2. Il avait l'avantage, grâce à sa maîtrise de la spectroscopie par résonance magnétique, de pouvoir évaluer directement le lien entre la présence de graisse interne et le niveau de glucose dans le sang.

Les résultats de cette étude ont été publiés en 2011 (Lim *et al.*, 2011). Ils montrent l'évolution d'un certain nombre de marqueurs physiologiques chez un groupe de onze personnes obèses (indice de masse corporelle moyen de 33) et diabétiques ayant suivi une diète très stricte à 600 kcal/jour durant deux mois. Bien que le nombre de participants soit petit, l'étude suit les règles de l'art : elle inclut un groupe témoin composé de personnes obèses non diabétiques, groupe qui permet d'évaluer l'importance des résultats. Ceux-ci sont clairs : après une semaine seulement de RFTC, on observe une perte de poids moyenne de 4 kilogrammes (poids initial moyen de 101 kilogrammes), et la glycémie moyenne à jeun chute de 9,2 mmol/l à 5,9 mmol/l. Durant les sept semaines qui suivent, elle se stabilise, sans médicament, à 5,7 mmol/l, au-dessus de la valeur moyenne de 5,3 mmol/l obtenue pour le groupe non diabétique, mais sous le seuil prédiabétique. Durant cette période, l'HbA_{1c} s'améliore, passant de 7,4 % au début de l'étude à 6,0 % au bout de deux mois.

L'évolution positive de ces marqueurs classiques est associée à des changements physiologiques profonds. Sans surprise, avec un tel régime, la perte de poids est considérable : sur huit semaines, les sujets avaient perdu 15 kilogrammes en moyenne, soit près de 2 kilogrammes par semaine. Cette réduction de poids a également été associée à une diminution de 70 % de gras dans le foie et de 25 % de gras dans le pancréas, atteignant, dans les deux cas, des concentrations inférieures à celles observées dans le groupe témoin, comme le montre la figure 16.1.

Les bénéfices du régime ne s'arrêtent pas là : Taylor observe un effet sur les mécanismes qui sont à la source du diabète. Ainsi, durant les huit semaines du régime, la sensibilité à l'insuline revient à des niveaux considérés comme normaux et la fonction des cellules bêta s'améliore, résultats qu'on croit généralement impossibles à obtenir dans le modèle traditionnel de maîtrise du diabète de type 2.

Comme le conclut Taylor dans son article de 2011, cette

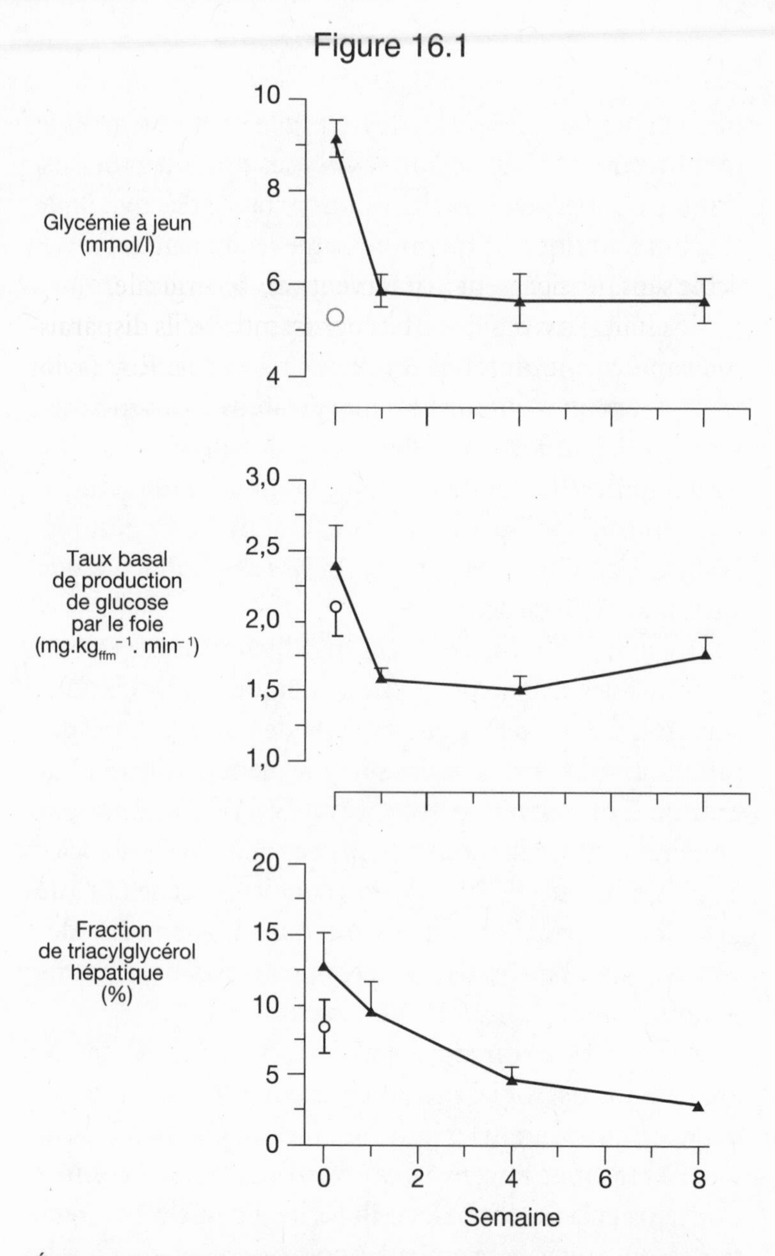

Évolution de la glycémie à jeun, de la production de glucose par le foie et de la proportion de triacylglycérol dans le foie après le début de la diète à très faible teneur en calories. Les cercles ouverts, à la semaine zéro, représentent les valeurs du groupe témoin. D'après Lim *et al.* (2011).

étude montre, pour la première fois, qu'un régime strict peut non seulement réduire la glycémie, mais aussi avoir un effet positif sur les causes physiologiques du diabète, exploit remarquable qui indique que le diabète est réversible sans médicament ni intervention chirurgicale.

Restait à savoir si ces effets persistent ou s'ils disparaissent après quelques semaines ou quelques mois. Roy Taylor a répondu partiellement à cette question dans un article plus récent (Taylor, 2013). Constatant l'impact significatif du RFTC sur la cohorte de onze volontaires après deux mois, il a été autorisé à poursuivre l'observation pour un maximum de trois mois après que le régime eut été terminé. Comme on pouvait s'y attendre, les dix sujets disponibles avaient repris un peu de poids (augmentation moyenne de 3 kilogrammes). Cependant, ils présentaient toujours, avec une glycémie à jeun moyenne de 6,1 mmol/l (seuil inférieur du stade prédiabétique, même si trois des sujets étaient retombés dans l'état diabétique), des résultats tout à fait comparables à ce qu'on observe chez les patients obèses ayant subi une opération bariatrique, et le tout sans médication pour la plupart des participants.

Les effets secondaires de la diète pseudo-chirurgicale

Le régime très pauvre en calories provoque une perte de poids rapide. Dans les premiers jours, celle-ci peut atteindre un kilogramme par jour, alors que la réserve de glycogène du foie se vide, emportant avec elle les molécules d'eau qui y sont liées. Une partie de ce poids sera reprise, bien sûr, au moment du retour à l'alimentation normale, qui s'accompagne d'une régénération de la réserve de glycogène.

L'organisme, alors en état de pénurie d'énergie, doit puiser dans ses ressources internes, c'est-à-dire dans ses réserves de graisse, mais aussi un peu dans les muscles. Selon l'étude de Taylor, environ 86 % de la masse corporelle perdue vient du gras durant les premières semaines du régime. Cette proportion monte à 94 % après quatre semaines, alors que le corps s'ajuste aux effets du jeûne pour protéger les muscles et préserver les éléments essentiels au fonctionnement du corps. Une diète équilibrée, comportant suffisamment de protéines, de vitamines et de minéraux, devrait permettre d'éviter une perte musculaire trop importante. De toute façon, vous pourrez récupérer vos muscles par la suite, grâce à vos séances d'exercice physique !

Si vous avez suffisamment de réserves, c'est-à-dire s'il vous reste du poids à perdre, vous n'avez rien à craindre : la plupart des études sur le jeûne ou les diètes strictes montrent que les effets secondaires négatifs à long terme sont nuls. Le corps est conçu pour faire face à des périodes de disette. Malgré tout, il est préférable d'en parler à votre médecin ou à votre équipe médicale afin d'obtenir un soutien et un accompagnement, surtout si vous êtes sous médication.

Quelques questions sur le régime pseudo-chirurgical

Il reste de nombreuses questions partiellement irrésolues quant à l'intérêt de ce régime brutal pour lutter contre le diabète, questions qui ne pourront être vraiment réglées que par des études à grande échelle. Est-il nécessaire, par exemple, de suivre un régime si draconien, ou est-ce le poids final qui importe, ainsi que sa stabilité ? Lorsqu'on atteint la rémission, celle-ci est-elle permanente ou temporaire ? De même, puisque la majorité des études mentionnées plus haut portent sur des individus ayant reçu leur diagnostic récemment, sait-on si le régime permet d'inverser le cours du diabète après plusieurs années de maladie ? Sait-on ce qui se passe si on est à une étape de la maladie où l'insuline est nécessaire ? Est-ce que cette diète fonctionne pour tout le monde ?

Malgré l'absence d'études spécifiques, on dispose de suffisamment d'éléments pour répondre, au moins partiellement et de manière plutôt positive, à ces interrogations.

En ce qui concerne la première question, Taylor suggère que ce qui compte n'est pas tant le régime que la perte de poids. Dans ce contexte, n'importe quel régime efficace ferait donc l'affaire ; l'avantage du régime à très faible teneur en calories tiendrait principalement à la rapidité de ses effets. Cette position n'est pas compatible avec les résultats de l'étude de Wing, qui suggèrent plutôt le contraire : il y a des avantages réels à suivre une diète chirurgicale, car les effets physiologiques seraient plus prononcés, pour la même perte de poids, qu'avec un régime classique. Comme ces conclusions ne se basent que sur une étude comportant un petit nombre de sujets, il n'est pas possible, pour le moment, de faire la part des choses. À défaut de plus amples données, Taylor semble avoir choisi la prudence. Si j'avais à miser là-dessus, toutefois, je pencherais plutôt, dans l'état actuel des connaissances, vers les conclusions de Wing.

La question de la durée de l'effet est aussi cruciale. On sait que, tout comme la chirurgie bariatrique, la diète pseudo-chirurgicale a des effets importants sur le diabète de type 2, menant, dans bien des cas, à la rémission. Cette rémission est-elle temporaire ou permanente ? Il y a de l'espoir de ce côté. Puisque la rémission persiste généralement chez les sujets ayant subi la chirurgie, se transformant en guérison pure et simple, on peut supposer que c'est également le cas après une diète pseudo-chirurgicale, à condition, bien sûr, de ne pas reprendre de poids perdu. Si l'évidence scientifique est encore faible, Taylor mentionne dans un article récent le cas d'un patient qu'il a suivi pendant huit ans après que ce dernier eut observé une diète draconienne, et qui maintient toujours une glycémie non diabétique. Voilà une bonne nouvelle, particulièrement quand la solution de rechange est un traitement qui mène, assurément, à une dégradation continue de l'état du patient.

Comme le souligne Taylor lui-même, son étude à petite échelle menée sur des gens ayant récemment reçu le diagnostic de diabète de type 2 laisse de nombreuses questions en suspens, dont peut-être la plus importante : est-ce que le régime est efficace pour les personnes qui souffrent depuis longtemps du diabète de type 2 ? Dans ses publications les plus récentes, Taylor souligne que, après la publication de son étude, il a reçu des milliers de courriels racontant des histoires suggérant que le régime pseudo-chirurgical mène à des résultats similaires chez des diabétiques de longue date. Cette hypothèse est soutenue par ce qu'on observe en chirurgie bariatrique : les diabétiques de type 2 au stade de l'insuline, mais dont le pancréas fonctionne encore, abandonnent souvent ce traitement après l'opération et peuvent même, dans certains cas, obtenir une rémission complète. Malgré ces quelques données, bien des aspects restent nébuleux quant à la façon dont les individus qui sont à un stade avancé de la maladie peuvent réagir au régime. Il ne faut pas créer de faux espoirs ni nuire à la santé de ceux qui seraient incapables de supporter les effets d'un tel régime. Cependant, il n'y a aucun risque à perdre un peu de poids, voire beaucoup.

Existe-t-il des personnes sur lesquelles le régime n'a pas d'effet ? Si les cellules bêta sont mortes, un tel régime n'aura probablement que peu d'impact, mais qu'en est-il des autres ? Difficile, avec les données actuelles, d'offrir une réponse précise. Comme c'est souvent le cas, les anecdotes ont tendance à ne présenter qu'un côté de la médaille : les gens qui rapportent leur histoire sont fréquemment ceux pour qui le régime fonctionne. Seules des études à grande échelle permettront vraiment de faire la lumière sur cette question.

Mais je ne suis pas gros !

Environ 20 % des diabétiques ne présentent pas de surpoids. Pour eux, la question est simple : en quoi une diète aussi draconienne peut-elle m'aider ? Rassurez-vous, je ne vous oublie pas.

Pour Taylor, le problème du diabète n'est pas tant le poids total que la façon dont le foie et le pancréas réagissent à la présence de graisse. Vous pouvez donc avoir un indice de masse corporelle tout à fait acceptable et, malgré tout, souffrir de diabète. C'est, comme le souligne Taylor, la situation dans laquelle se trouvent, par exemple, de nombreuses personnes d'origine sud-asiatique. C'était aussi le cas du journaliste Richard Doughty, du *Guardian*, dont j'ai raconté l'histoire au début du livre.

Si vous faites partie des gens dont les organes sont sensibles à la présence de graisse, sachez que le régime à très faible teneur en calories peut vous aider, à condition de perdre suffisamment de poids pour permettre à votre pancréas de retrouver la forme. Rien ne vous oblige à rester maigrichon, mais regagner du poids exigera que vous fassiez travailler vos muscles, ce qui demande des efforts et du temps, bien sûr.

C'est un peu frustrant, je l'admets. Vous êtes mince et devez quand même perdre du poids… Dites-vous que cette perte additionnelle vous permettra très probablement de stopper, voire d'inverser le cours d'un mal qui ne cesse de dégénérer. Vous suivrez donc ce régime pour une bonne cause : votre santé !

Une révolution

Le travail mené par Roy Taylor et son équipe constitue une véritable révolution dans le monde relativement conservateur du diabète. À l'aide de technologies offrant une base fondamentale pour ses résultats, Taylor a complètement changé notre compréhension de cette maladie en proposant, pour la première fois, une voie directe vers la guérison, soutenue par des données scientifiques claires. Contrairement aux remèdes miracles qu'on peut trouver sur Internet ces jours-ci, ce changement de perspective s'appuie sur une compréhension de plus en plus fine de l'interaction entre les molécules de gras et le cycle de l'insuline dans le pancréas, le foie et les muscles. Ce type de régime a donc une bonne base scientifique qui nous permet de nous y lancer sans craindre pour notre santé.

Cette révolution s'est produite parce que Taylor ne s'est pas contenté de circonscrire les interactions fondamentales entre le gras et les organes : il a tenu à mettre ses observations en pratique et à concevoir une méthode basée sur ses connaissances pour traiter le diabète. Le résultat est une approche trop simple et trop économique pour plaire à l'industrie pharmaceutique et au lobby du diabète. En effet, Taylor le confirme : il suffit, au moins pour ceux qui ont reçu leur diagnostic récemment, de suivre un régime strict et de maintenir leur poids pour se débarrasser du diabète.

Cette solution vous plaît ? Bien sûr, il n'est pas facile de suivre un tel régime, mais c'est possible. Je peux en témoigner, comme des milliers d'autres personnes dans le monde.

CHAPITRE 17

Ma guérison

À ma grande surprise, alors que je poursuivais mon analyse de la littérature scientifique, tout m'apparaissait parfaitement raisonnable et défendable : les résultats de Taylor sur un petit groupe de diabétiques de type 2 étaient compatibles avec les nombreuses études décrivant les effets de la chirurgie bariatrique, études qui ne se concentrent pas spécifiquement sur cette maladie, comme je l'ai dit plus tôt, mais qui présentent de nombreuses données pertinentes. Si l'ensemble des hypothèses de Taylor n'était pas confirmé par la littérature, son travail semblait tout à fait crédible.

En me basant sur ces preuves scientifiques, j'ai donc décidé d'essayer le régime. Après tout, qu'est-ce que j'avais à perdre, sinon quelques livres ?

Toujours en sabbatique, professeur invité à l'Université Pierre-et-Marie-Curie, à Paris, je suis parti, dans la Ville lumière, à la chasse aux substituts de repas qui me permettraient de démarrer un régime à 600 ou 700 kcal/jour tout en m'assurant les protéines et autres suppléments nécessaires à ma santé. Une chasse plus difficile que ce à quoi je m'attendais, car les Français semblent être beaucoup moins portés sur ces produits que les Canadiens. J'ai tout de même fini par trouver les substituts désirés et je me suis lancé dans l'aventure, à la fois optimiste (grâce aux données scientifiques) et sceptique. Après tout, s'il était si facile de guérir du diabète, pourquoi est-ce que personne ne connaissait la recette ? Ce dernier aspect continuait à me perturber profondément.

J'étais aussi un peu inquiet quant à ma capacité de travailler en ingérant seulement 700 kcal/jour. Surtout que, dans son article, le journaliste Doughty avait décrit qu'il se sentait faible après quelques jours de régime. Serais-je capable de poursuivre ce régime suffisamment longtemps ? Je le saurais bien assez tôt.

J'ai commencé ma diète un dimanche soir de la mi-avril 2014, sans arrêter ma médication : un pouding au chocolat de 160 kcal et une assiette de brocoli, tel que recommandé par Taylor. Même si le repas avait l'air un peu léger, je me sentais bien ; je m'ennuyais déjà, toutefois, de ma collation habituelle en soirée. Suivant les conseils de Taylor, j'ai choisi, pour tromper ma faim, de boire de l'eau pétillante : pas de calories, mais beaucoup de bulles !

Au cours des jours suivants, je demeurais préoccupé par mon niveau d'énergie. Serais-je en mesure de faire mon travail, de penser, d'écrire ? Allais-je m'effondrer au milieu de la rue ? Il s'avère que je m'en faisais inutilement : j'avais encore suffisamment de réserves pour affronter sans aucun problème ce régime à faible teneur en calories. Après tout, il me restait au moins 25 livres de graisse à perdre ; c'était plus qu'assez pour permettre à mon métabolisme de se gaver pendant quelques semaines, à condition que je boive suffisamment d'eau et consomme assez de fibres, de protéines et de vitamines, grâce aux légumes et aux substituts de repas, pour répondre à mes besoins.

Après deux jours, ma glycémie à jeun avait chuté à 4,7 mmol/l. J'ai donc décidé d'arrêter les médicaments, malgré la crainte de voir ma glycémie exploser après quelques jours. Cette explosion ne s'est jamais produite. Sans médication, mais toujours au régime, j'ai vu ma glycémie à jeun remonter un peu pour se stabiliser entre 5,3 et 5,7 mmol/l, des valeurs tout à fait acceptables.

J'ai dû arrêter mon régime après huit jours, pour cause de voyage. C'était une bonne occasion de tester l'efficacité du régime. Après quelques jours autour de 5,7 mmol/l, ma glycémie s'est mise à augmenter de nouveau. Dès qu'elle a atteint 6,2 mmol/l, j'ai décidé de reprendre ma médication (oui, je sais, je ne suis vraiment pas téméraire !).

J'ai donc recommencé à prendre ma médication et maintenu une alimentation normale durant tout le mois de mai. Ce n'est qu'en juin que je me suis remis à mon régime, désormais convaincu qu'il pouvait vraiment réussir si je le suivais assez longtemps. Comme j'étais professeur visiteur à Utrecht, il m'était difficile de m'en tenir au régime strict, alors j'ai adopté une diète moins draconienne : déjeuner pas trop copieux ou substitut de repas à 160 kcal, barre-repas à 160 kcal pour le dîner, souper relativement normal, c'est-à-dire une grande portion de légumes accompagnée de protéines et de féculents en quantité raisonnable. Cela m'a au moins permis de perdre un peu de poids. Comme je pesais alors autour de 185 livres, ce régime a été suffisant pour maintenir ma glycémie sans médicament (à condition que je n'exagère pas trop durant les repas) et pour perdre près de 10 livres en deux mois.

À la fin de juillet 2014, alors que mon séjour à l'étranger tirait à sa fin et que je me préparais à rentrer à Montréal, je ne pesais plus que 176 livres, un poids que je n'avais pas eu depuis l'âge de dix-huit ans ! Sans médicament, mon taux de glucose à jeun était encore un peu élevé, au-dessus de 6,0 mmol/l, et il dépassait facilement 7,0 mmol/l lorsque je mangeais normalement.

J'ai donc décidé de reprendre ma diète pseudo-chirurgicale pour finir ce que j'avais commencé quatre mois plus tôt, dans le but de perdre rapidement une dizaine de livres et de me débarrasser définitivement de mon diabète. M'appuyant sur les produits offerts au Québec (je m'ennuie du pouding au chocolat français !), je me suis embarqué dans une nouvelle phase intense du régime. Je savais, cette fois, que je pouvais fonctionner normalement dans ces conditions, ce qui me facilitait la tâche. Après plus de deux mois à faire très attention à ce que je mangeais, je commençais tout de même à en avoir assez des diètes… Pas question, toutefois, d'abandonner.

Profitant de l'absence de mon conjoint, j'ai réussi à mener à bien mon régime durant deux semaines, avec un minimum de pression et de perturbation. Et ç'a été un succès ! En septembre 2014, ne pesant plus que 166 livres, j'ai reçu la confirmation de la part de mon médecin : ma glycémie à jeun était maintenant de 6,0 mmol/l, et mon taux d'HbA_{1c}, de 5,5 %, et ce, sans aucune médication, alors que quatorze mois plus tôt, avec un diabète avancé, ma glycémie à jeun était de 4,5 mml/l, et mon taux d'HbA_{1c}, de plus de 10 %. Officiellement, je n'étais plus diabétique ni même prédiabétique ! Un an plus tard, ayant maintenu mon poids et continué de pratiquer une activité physique régulière, je suis toujours en rémission, et ma glycémie à jeun se maintient entre 5,2 et 6,0 mmol/l. Selon le résultat de mon dernier test en laboratoire, à la mi-octobre 2015, avec une glycémie à jeun de 5,8 mmol/l, mon taux d'HbA_{1c} n'est plus que de 5,1 % – tout ce qu'il y a de plus normal – et l'ensemble de mes indicateurs – pression, cholestérol, etc. – est au beau fixe. Que demander de mieux?

Encore un peu d'efforts

Bien sûr, ma glycémie à jeun est encore un peu plus élevée que celle d'une personne normale, et mon pancréas reste fragile. Malgré tout, je n'ai plus vraiment à me préoccuper de mon taux de glucose ni à éviter les gâteaux au chocolat. Il me suffit de surveiller mon poids.

Conserver celui-ci à son niveau actuel n'a rien d'évident. Pour y parvenir, je dois éviter les excès et reprendre régulièrement des substituts de repas, surtout à l'heure du lunch, substituts que j'accompagne de légumes en abondance. Malgré tout, le défi est bien moindre que de constamment chercher à contrôler ma glycémie, et il est, largement, le lot de la plupart des personnes qui dépassent la quarantaine.

Est-ce facile? Non. Ai-je résolu mes problèmes de santé? Oui et non. Si ma glycémie, mon taux d'HbA_{1c}, ma pression artérielle et mon cholestérol sont bien à l'intérieur des cibles définissant une personne en parfaite santé, le fait que j'aie souffert du diabète dans le passé montre que mon pancréas est fragile et que je dois le protéger. Toutefois, selon les études, ma glycémie actuelle m'offre d'excellentes chances de ne jamais redevenir diabétique, à condition de maintenir mon poids et de rester actif.

Suis-je vraiment guéri, alors ? Je ne le sais pas. Je suis au moins en rémission, un statut que je pourrai réviser dans quelques années si je maintiens ma glycémie. Quoi qu'il en soit, il est très agréable de ne plus avoir à prendre de médicaments et de ne pas trop m'en faire sur la nature de ce que je mange. Je me concentre sur un seul objectif : ne pas prendre de poids, tâche beaucoup plus facile que de calculer l'indice glycémique de tout ce que je consomme !

CHAPITRE 18

La mise en pratique de la diète pseudo-chirurgicale

Le programme conçu par Roy Taylor est d'une simplicité déconcertante. Le plus difficile est de se convaincre que celui-ci fonctionne, malgré le silence de la communauté du diabète à cet égard.

Pour Taylor, le principal problème du protocole standard de maîtrise du diabète est qu'il n'établit pas une cible assez élevée en ce qui concerne la perte de poids. Alors qu'on recommande généralement aux diabétiques de type 2 de perdre de 5 à 10 % de leur poids afin de mieux maîtriser leur glycémie, Taylor montre qu'en visant une perte d'au moins un sixième du poids, c'est-à-dire de 15 % ou plus, lorsque c'est nécessaire, on peut guérir complètement la maladie. Concrètement, cela veut dire que, si vous pesiez 200 livres au moment de votre diagnostic, il vous faut perdre au moins 33 livres pour atteindre les objectifs définis par Taylor. Et encore, il faut prendre cette cible avec un grain de sel. Il est nécessaire, avant tout, de respecter votre pancréas. Pour certains, il est possible de guérir avec un indice de masse corporelle (IMC) de 25 ; pour d'autres, et c'est le cas de Richard Doughty, il faut être plus ambitieux et atteindre un IMC de 21, voire de 20. Une chose est sûre : quelle qu'elle soit, cette cible sera beaucoup plus élevée que ce qui est généralement recommandé pour les diabétiques.

La diète au quotidien

Si elle n'est pas nécessairement facile à appliquer, la diète recommandée par Taylor pour parvenir à cette cible a l'avantage d'être simple : il faut manger un maximum de 700 kcal/jour en s'assurant de boire au moins deux litres d'eau et d'inclure 200 grammes de légumes dans l'alimentation afin de préserver l'apport en fibres et en liquide.

Une telle diète est difficile à équilibrer. C'est pourquoi, dans l'étude de Taylor, les sujets consomment des substituts de repas à 200 kcal chacun, pour un total de 600 kcal/jour, ainsi que 200 grammes de salade ou de légumes non féculents.

Il est possible, bien sûr, de préparer vos propres repas, et vous trouverez en annexe quelques idées de menus qui respectent les cibles tout en fournissant les éléments dont vous pouvez avoir besoin durant le régime. Dans mon cas, comme je l'ai indiqué, j'ai suivi la voie facile des substituts de repas (à 160 calories par barre), auxquels j'ajoutais un peu de légumes pour atteindre, en gros, 700 kcal/jour.

Il est essentiel, durant cette diète, de ne pas négliger les légumes, qui fournissent un certain volume facilitant le travail du système digestif. C'est aussi la raison pour laquelle il est important de boire beaucoup d'eau, surtout qu'en mangeant moins vous absorberez moins de liquide que d'habitude.

Pendant cette diète, il est important de vous abstenir de consommer des boissons riches en calories. Celles-ci incluent les boissons sucrées, les boissons énergisantes et l'alcool, qui contient beaucoup plus de calories qu'on le pense généralement. Pour briser la monotonie, prenez des boissons gazeuses à zéro calorie (sans exagérer), buvez du thé ou du café (sans sucre et avec très peu de lait) ou, tout simplement, de l'eau minérale gazeuse.

Aux repas, essayez de varier les substituts, les légumes et les assaisonnements. Évitez l'huile; utilisez plutôt du vinaigre, de la sauce soya, des herbes et des épices. Il n'est pas nécessaire de toujours manger vos légumes crus. Faites-les griller ou mangez-les en purée, avec un peu de bouillon de poulet. Surtout, ne trichez pas!

Finalement, même en suivant les directives de Taylor, il est possible que vous soyez constipé après quelques jours. Un laxatif doux vous permettra de régler ce petit problème. Rappelez-vous encore une fois que, selon les études, ce type de diète ne pose aucun risque pour la santé, à condition, bien sûr, qu'il vous reste du gras à perdre.

À quoi s'attendre?

Sans surprise, avec une telle diète, les résultats ne se font pas attendre. Ainsi, le groupe suivi par Taylor avait perdu 3,9 kilogrammes en moyenne après une semaine: du gras, bien sûr, mais aussi de l'eau, et des muscles qu'il faut reconstruire à la suite du régime pour retrouver ses forces et augmenter sa capacité à absorber l'insuline. L'organisme s'adapte progressivement au régime et, après quelques semaines, il brûle avant tout du gras (94 %). La perte de poids moyenne hebdomadaire diminue donc, mais demeure proche de deux kilogrammes, ce qui reste considérable. En parallèle, la glycémie à jeun chute. Dans l'étude de Taylor, les sujets ont vu leur taux de glucose sanguin passer de 9,2 à 5,9 mmol/l, bien en deçà du seuil diabétique, alors qu'ils demeuraient bien au-dessus de leur poids santé.

Cependant, il faut éviter de célébrer trop rapidement. En effet, si vous reprenez vos habitudes alimentaires trop tôt, votre glycémie remontera, car la graisse retournera dans vos organes. Persévérez jusqu'à ce que vous ayez atteint votre poids cible. S'il le faut, interrompez le régime quelque temps, puis reprenez-le. Ce qui compte avant tout, c'est l'atteinte de votre objectif et non pas le chemin que vous aurez suivi pour y parvenir.

Combien de poids dois-je vraiment perdre ?

Comme je l'ai écrit plus haut, Taylor recommande de viser une perte d'au moins 15 % du poids que vous aviez au moment du diagnostic. Dans mon cas, cette cible représentait un peu moins de 40 livres, ce qui m'aurait amené à 185 livres environ. Ce n'était pas suffisant. À ce poids, qui reste au-dessus des limites du poids santé pour ma taille, mon taux de glucose est dangereusement proche de 7,0 mmol/l sans médication. En fait, il m'a fallu perdre de 15 à 20 livres de plus et me maintenir entre 165 et 170 livres pour stabiliser ma glycémie à jeun sous la barre des 6,0 mmol/l. J'ai donc dû perdre plus du quart de mon poids (26 %) pour guérir du diabète. C'est beaucoup, bien sûr, mais je peux vous assurer que cela en a valu la peine.

Que devrait être votre cible, alors ? C'est difficile à dire, car la réponse dépend en bonne partie de l'état de votre pancréas et de sa capacité à gérer la présence de molécules de graisse. Si vous êtes très sensible, il vous faudra peut-être être aussi ambitieux que Richard Doughty et viser un IMC de 20 ou 21. Sinon, vous pourrez vous arrêter lorsque vous serez dans les limites de votre poids santé. Évitez de penser en termes de poids et visez plutôt la maîtrise de votre glycémie. Tant que celle-ci ne sera pas maîtrisée et que vous aurez encore un peu de graisse à perdre, vous devrez continuer !

Est-ce dangereux ?

Malgré leur intensité, on pourrait presque dire leur brutalité, les régimes à très faible teneur en calories représentent une voie efficace et sécuritaire pour la perte de poids. Sous supervision, ils sont parfois recommandés aux personnes obèses qui doivent perdre 30 % ou plus de leur masse corporelle. Ils sont alors utilisés de douze à seize semaines, soit trois ou quatre mois (Wing, 1995). Après une période si longue, le corps s'ajuste à la restriction alimentaire. Plusieurs études suggèrent qu'il est nécessaire de réintroduire l'alimentation normale doucement, en étalant le retour à l'apport énergétique habituel sur une période de quatre à huit semaines. Bien que ces régimes soient draconiens, les travaux scientifiques sont rassurants : ces diètes ne semblent pas entraîner d'effets négatifs à long terme sur l'organisme. Les effets positifs, eux, sont très clairs, et, déjà après quelques jours, on note une diminution marquée de la glycémie, de quoi donner du courage et de la détermination !

Malgré que ce type de régime soit sûr, il est préférable que vous commenciez le vôtre sous supervision, histoire de vous aider à trouver ce qui vous convient le mieux et de persévérer. N'hésitez donc pas à demander l'aide de votre médecin de famille ou de votre nutritionniste. Il est possible qu'ils soient sceptiques mais, en poussant un peu, vous devriez pouvoir gagner leur appui.

Que faire de ma médication ?

Il est préférable de poser cette question à votre médecin, surtout si vous prenez de l'insuline ou si vos médicaments provoquent l'hypoglycémie. De mon côté, comme ma médication était légère (metformine), j'ai commencé ma diète sans rien changer. Après deux jours, ma glycémie à jeun étant descendue à 4,7 mmol/l, j'ai cessé de prendre mes pilules. Lorsque j'ai dû interrompre ma diète pour des raisons de voyage, j'ai continué à suivre ma glycémie et n'ai repris ma médication que lorsque celle-ci a atteint 6,2 mmol/l, sans problème majeur.

J'ai mis un terme à ma médication lorsque j'ai attaqué la dernière ligne droite de ma diète pseudo-chirurgicale, qui m'a amené à 165 livres et à une glycémie à jeun stable de moins de 6,0 mmol/l. Je n'ai repris aucune médication depuis.

Un peu d'aide ?

S'il vous paraît impossible de suivre la diète pseudo-chirurgicale, particulièrement pour de longues périodes, vous pouvez tester diverses stratégies.

Dans mon cas, j'ai alterné cette diète avec un régime moins strict, autour de 1 000 à 1 200 calories, où je me contentais de substituts de repas à 160 ou 180 calories le matin et le midi, et d'un repas normal le soir. Je suivais donc ma diète stricte durant cinq ou six jours, puis j'adoptais une alimentation un peu plus normale durant quelques semaines, en partie pour des raisons professionnelles, comme je l'ai expliqué. Évidemment, j'ai perdu du poids plus lentement, mais ça m'a permis de prendre des repas plus normaux avec mon conjoint.

Vous pouvez également vous tourner vers la médication. Des drogues comme l'orlistat, par exemple, peuvent bloquer l'absorption d'environ 30 % des matières grasses contenues dans les repas. En facilitant la perte de poids, ce médicament peut donc aussi vous amener vers votre cible. Il faut être prudent, toutefois. La reprise de poids se produit chez la majorité des individus lorsque le traitement est interrompu, menant à une perte de confiance en soi. C'est pourquoi il est essentiel de préparer l'après-régime, en vous assurant de vraiment changer vos habitudes alimentaires.

Et après ?

Que ce soit avec le régime pseudo-chirurgical ou une médication ciblée, il est possible de garantir une perte de poids considérable. Cependant, comme on vient de le voir, le vrai défi ne commence qu'après la diète, avec le maintien du poids cible. C'est un défi auquel nous faisons tous face, et plus encore les diabétiques, lorsque nous sommes sous médication ou sous insuline. Pour éviter l'effet yo-yo, il faut nous assurer de transformer en profondeur notre mode de vie en nous imposant durant des mois, et préférablement au moins un an, des règles de conduite claires quant à notre alimentation et à l'activité physique. Cette phase de longue durée est facile à décrire, mais elle est beaucoup plus difficile à respecter.

En effet, il ne suffit pas de comprendre les recommandations alimentaires ; il faut être capable de les intégrer. Or, pour la plupart d'entre nous, même les directives relativement simples des associations de diabète exigent un changement majeur des habitudes. Cette transformation n'est pas toujours facile, surtout si nous avons une famille qui n'aime pas trop les trucs verts et sains. Préparer deux menus complets à chaque repas, afin de plaire à tout le monde, devient rapidement une corvée. De même, bien manger à l'extérieur de la maison est souvent difficile. Si vous allez régulièrement au restaurant, par exemple, ou à la cafétéria, la tentation de revenir à votre plat préféré sera toujours présente et mettra en jeu votre capacité à changer profondément votre alimentation.

Plusieurs stratégies peuvent vous aider à adopter un régime alimentaire sain. Selon mon expérience, il est préférable de rompre brutalement avec l'ancien régime et de se tenir aussi près que possible des recommandations santé pendant plusieurs mois avant de réintroduire une certaine souplesse. Rappelez-vous qu'il est extrêmement facile de retrouver vos anciennes habitudes alimentaires. Après tout, elles correspondent au mode de vie que vous avez adopté avec plaisir durant toutes ces années. Il est peu probable que vous l'auriez abandonné si vous n'y aviez pas été obligé !

Adopter de nouvelles habitudes alimentaires

Ma douce moitié a une capacité relativement limitée à accepter les aliments nouveaux ou exotiques. Il n'y avait pas moyen pour moi de changer complètement notre menu habituel. Puisque c'est moi qui fais la cuisine, j'ai plutôt choisi d'ajouter des légumes à chaque repas, même si je suis le seul à les manger. Donc, les féculents et la viande sont les mêmes pour tous, mais pas la façon dont je remplis les assiettes. Ainsi, je m'assure de suivre les conseils du *Guide alimentaire canadien* et de combler la moitié de mon assiette de légumes agrémentés d'un peu de vinaigrette ou de sauce. Avec tous ces légumes, il reste moins de place pour les pommes de terre, le riz, les pâtes et la viande, ce qui signifie que je réduis mes portions de glucides et de gras.

J'ai également diminué la quantité de frites, de croustilles, d'aliments prêts à cuire et de plats préparés que nous consommons chaque semaine. Nous avions l'habitude de faire livrer des repas deux ou trois fois par semaine. Maintenant, c'est environ deux fois par mois, ce qui a un avantage supplémentaire : nous économisons pas mal sur la nourriture !

La modification des déjeuners et des dîners a été plus facile. J'ai ajouté des céréales riches en fibres le matin et coupé tous les jus de fruits. Si je veux un fruit, je le mange entier, c'est tout. J'ajoute à cela une ou deux rôties de blé complet avec du beurre d'arachide et une banane ou, pour ingérer moins de calories, un peu de fromage et un grand café au lait (sans sucre !). Avec un tel repas, je commence ma journée d'un bien meilleur pied qu'avant !

Au dîner, j'avais l'habitude de prendre un V8 et un sandwich. Rien d'excessif, mais le tout renfermait du pain blanc et une quantité importante de gras. J'ai abandonné le V8 en raison de sa teneur en sel. Comme je n'aime pas la version réduite en sodium, je mange plutôt mes légumes crus, préférant le poivron rouge, la courgette ou le brocoli. J'ajoute une barre-repas de 160 kcal, un petit sandwich fait avec du pain de blé complet ou un reste du souper précédent, gardant un fruit pour la collation de l'après-midi, si j'en ai besoin. En gros, je dirais que le dîner est mon repas le plus pauvre en calories.

Puisque je n'avais pas l'habitude de consommer des collations le matin ou l'après-midi, j'ai évité d'acquérir cette habitude, ne prenant qu'un fruit de temps en temps. Par contre, je mangeais beaucoup de friandises le soir, en regardant la télévision (on n'atteint pas 245 livres en ne mangeant que du céleri !). Ici, je dois dire que j'ai été bien aidé par le fait que je suis le grand grignoteur de la famille : mon conjoint se contente généralement d'un yaourt une demi-heure avant d'aller au lit. Je n'avais donc qu'à m'en inspirer pour changer. Le jour où j'ai reçu mon diagnostic de diabète, j'ai arrêté immédiatement les grignotines le soir. Ça n'a pas été facile. Je me suis même mis au tricot les premiers mois, afin d'occuper mes mains lorsque je regardais la télévision – il ne faut reculer devant rien pour changer nos habitudes ! Aujourd'hui, je mange parfois une petite poignée de noix de cajou avant de me coucher. Je m'assure toutefois de ne sortir du sac que la quantité que je veux manger et de ranger le reste bien au fond de l'armoire afin d'éviter de succomber à la tentation d'une deuxième, puis d'une troisième portion !

Avant même que j'aie découvert le régime de Roy Taylor, le résultat de ces changements a été spectaculaire : j'ai perdu plus de 30 livres en six mois sans entreprendre de véritable régime alimentaire. Il m'a suffi de mieux manger et de bouger un peu plus. Ces changements m'ont permis de maîtriser mon taux de sucre sanguin, ce qui m'a aidé à demeurer motivé et à persévérer dans cette voie, malgré les nombreuses tentations !

Réapprendre à bouger

Si j'ai pu changer mes habitudes alimentaires du jour au lendemain, ç'a été beaucoup plus difficile en ce qui concerne l'activité physique. Il me fallait trouver le moyen de me libérer trois heures par semaine, malgré mon horaire très chargé (comme c'est le cas pour tout le monde, bien sûr !). En fait, il m'a fallu près de deux mois, après mon diagnostic, pour vraiment commencer l'exercice.

Puisque je ne suis pas terriblement sociable quand il s'agit d'activité physique, j'ai décidé de me mettre au jogging. À 225 livres, je ne pouvais évidemment pas me lancer à pleine vitesse le premier jour. J'ai donc commencé à courir quelques minutes à la fois, suivies d'une ou deux minutes de marche, pendant vingt minutes au total. Après deux mois, à raison de trois fois par semaine, j'étais capable de courir de quarante-cinq à cinquante minutes en une fois, à la vitesse relativement faible de six kilomètres à l'heure. Courir est une activité qui me convient particulièrement, car je peux la pratiquer le matin, avant d'aller travailler, ou le soir, lorsque je rentre à la maison, sans dépendre de quelqu'un. Cela signifie aussi que je peux faire de l'activité physique simplement en sortant de mon appartement. Comme j'ai l'avantage de vivre à proximité d'un grand parc, je n'ai pas à courir sur les trottoirs plus de dix ou quinze minutes durant ma séance d'entraînement, ce qui diminue l'impact sur les genoux.

Après deux ans, j'avoue que je n'arrive pas vraiment à aimer cette activité. Néanmoins, la course me fait du bien, et mon corps me pousse à sortir lorsque je reste inactif trop longtemps. Je suppose que c'est une bonne chose…

Puisque je vis à Montréal, que les hivers sont rudes et que je n'aime pas courir dans la neige, je passe à la salle de gym en hiver. Cela me permet d'incorporer des exercices de résistance à mon entraînement, afin d'augmenter ma masse musculaire. C'est nettement plus cher que de courir en plein air, mais les économies réalisées en coupant dans les repas au restaurant compensent largement.

Le principal problème de l'activité physique est de trouver une façon de l'intégrer à notre quotidien. C'est d'abord une question d'habitude. Après tout, nous trouvons tous le moyen de perdre du temps en nous adonnant à des activités comme la télévision ou le magasinage. Une fois que l'habitude est là, il suffit de s'y maintenir. Si je peux le faire, vous le pouvez, c'est garanti !

Bien sûr, c'est plus facile à dire qu'à faire, surtout quand un diabétique est entouré de gens qui n'ont pas envie de changer. Toutefois, avec du courage et de la volonté, c'est possible, croyez-moi!

Guérir une fois pour toutes

Même si je suis en rémission – je vais encore attendre une année ou deux avant de me considérer officiellement guéri du diabète –, je sais que mon pancréas reste fragile. C'est pourquoi il me faut éviter de reprendre du poids et continuer d'avoir de bonnes habitudes de vie. Cela signifie que je ne pourrai jamais reprendre mon mode de vie d'antan. Après tout, c'est lui qui m'a mené au diabète.

Par contre, je n'ai plus à m'inquiéter si je fais des excès un soir, ou si j'ai envie de manger des spaghettis ou d'autres aliments à indice glycémique élevé. Je sais qu'aujourd'hui mon organisme peut gérer seul ces plaisirs. À condition, bien sûr, que je continue à bouger et à bien manger. C'est le prix à payer pour guérir, prix que je considère, finalement, comme une prime plutôt que comme un fardeau!

CHAPITRE 19

Choisir la voie de la guérison

J'espère vous avoir convaincu que vous n'avez pas à vivre avec le diabète de type 2 pour le restant de vos jours. Contrairement à ce qu'on vous a dit, il est possible d'obtenir une rémission et même une guérison complète. Pour cela, il vous faudra perdre du poids, peut-être beaucoup et probablement rapidement. Les études scientifiques sont claires à ce sujet : le pancréas est très sensible à la présence de gras. Si vous réussissez à perdre suffisamment de poids, cet organe pourra retrouver ses forces et vous amener sur le chemin de la guérison.

Perdre du poids n'est pas une mince affaire. Nous le savons, car nous avons presque tous essayé plusieurs fois d'en perdre, y parvenant parfois durant quelques jours, quelques semaines ou quelques mois, pour retomber ensuite dans nos mauvaises habitudes. À l'exception de la chirurgie bariatrique, il n'existe pas d'approche infaillible ni de pilule magique qui peut faire le travail à notre place. En effet, la règle pour maigrir est limpide : nous devons ingérer moins de calories que nous en brûlons. Malheureusement, elle est plus difficile à respecter pour certains que pour d'autres.

La plupart des diabétiques ont du poids à perdre. Bon nombre d'entre nous sont même obèses. Comme on l'a vu, toutefois, ce n'est pas le cas de tout le monde. Chez certains, même si l'indice de masse corporelle est normal, la graisse abdominale affecte le pancréas, qui ne parvient pas à fonctionner convenablement. Pour le reste d'entre nous, en raison de mauvaises habitudes ou d'un métabolisme lent, la cause est plus simple : nous sommes bien loin de notre poids santé, c'est tout.

Dans certains cas, les médicaments antidiabétiques contribuent à contrecarrer nos efforts. Si la metformine favorise la perte de poids, ce n'est pas le cas de l'insuline ni de plusieurs autres médicaments, comme les sulfonylurées, qui, s'ils aident à maîtriser le diabète, nous font également grossir, ce qui accélère la détérioration du pancréas et diminue la capacité à maîtriser le glucose sur le long terme. Cette situation explique pourquoi de nombreux diabétiques qui réussissent à perdre du poids avec beaucoup d'efforts le reprennent au fil du temps.

C'est ici que la diète pseudo-chirurgicale entre en jeu. En raison de son caractère draconien, elle peut contrecarrer les effets des médicaments et vous aider à perdre du poids malgré tout, diminuant votre glycémie et vous permettant, si tout va bien, de vous délester de la plupart de vos médicaments, ce qui accroît encore plus votre capacité à maigrir.

Il est plus facile d'avoir de la volonté et du courage si on est bien entouré, comme le montre l'abondante littérature scientifique sur le sujet. En effet, les chercheurs considèrent de plus en plus qu'il faut traiter cette phase de stabilisation de la même façon qu'on traite tout comportement de dépendance, suivant une approche psychologique qui cible trois aspects de notre relation à la nourriture : l'aspect cognitif ou comportemental, la résolution de problèmes et l'adaptation proactive (Berk *et al.*, 2012).

En termes simples, cela signifie qu'il faut transformer notre rapport à la nourriture de sorte que d'autres sources de compensation et de récompense puissent être utilisées à la place. En bonne partie, cela implique l'abandon du protocole actuel visant à maîtriser le diabète, qui fait de l'alimentation une préoccupation et une source de frustration constantes en raison des obligations se rapportant au choix des aliments, au contrôle de l'indice glycémique et à la maîtrise de la glycémie.

Rappelez-vous aussi qu'il s'agit d'une transformation pour le mieux. Après tout, beaucoup de gens mènent une vie plus saine que la nôtre et en sont très heureux. S'ils peuvent trouver du plaisir ailleurs, pourquoi ne le pourrions-nous pas ? Le grignotage était, pour moi, la meilleure façon de faire passer mes émotions et de m'occuper. Maintenant, je trouve d'autres solutions, du sport à la musique en passant par la vie sociale. J'obtiens des résultats semblables, mais pas identiques, bien sûr !

Si vous voulez changer, n'hésitez pas à prendre conseil auprès de votre nutritionniste ou de votre association locale ou nationale de diabète. Rappelez-vous que vous n'êtes ni le seul ni le premier à vouloir changer vos habitudes de vie. Partager avec des personnes qui sont soumises aux mêmes contraintes que vous pourrait vous donner la force de vous débarrasser de vos mauvaises habitudes et de repartir sur des bases meilleures pour votre santé.

Insistez si votre nutritionniste ou votre médecin tentent de vous décourager de perdre du poids et de guérir. Rappelez-vous que la voie décrite dans ce livre va à l'encontre de tout ce qu'ils entendent depuis des années. Vous devrez donc peut-être user d'un peu de persuasion. Quoi qu'il en soit, il s'agit de votre santé. Le choix ultime vous revient.

Cette transformation exigera que vous y mettiez l'effort nécessaire. Votre santé exige que vous y consacriez du temps, pour planifier vos repas, acheter ce dont vous avez besoin et préparer des aliments sains. C'est nettement plus exigeant que d'acheter une lasagne congelée ou une poutine au restaurant du coin. Vous pouvez vous aider en préparant de grandes quantités et en congelant les restes. De cette façon, vous profiterez de plats santé que vous n'aurez qu'à faire réchauffer quand vous rentrerez tard à la maison et que vous devrez nourrir votre famille rapidement. Dans mon cas, j'ai commencé à mettre certains aliments en conserve. Oui, moi ! J'ai maintenant de la sauce pour les pâtes, du cassoulet et même des boulettes qui m'attendent dans le garde-manger pour les occasions où je suis pressé. Étonnamment, ce n'est pas tant de travail que ça quand on en prend l'habitude.

Manger n'est pas tout. Il faut également bouger. Vous pouvez faire du jogging dans votre quartier, du vélo stationnaire dans votre sous-sol ou aller au gym. Quelle que soit l'activité que vous choisirez, elle devra s'insérer dans votre horaire, qui est sûrement déjà rempli du matin au soir. Comment caser le sport dans tout ça ? D'abord en vous disant que ce n'est pas une activité frivole, mais une activité qui fait partie de votre traitement, en complément ou en remplacement de votre médication. Ensuite, rappelez-vous que ces trois heures hebdomadaires de sport vous aideront à vieillir en santé et, par conséquent, à rester actif plus longtemps. Le temps consacré à l'activité physique aujourd'hui vous sera rendu, avec intérêts, au fil des années. Vous investissez en vous-même, de la même façon que vous mettez de l'argent de côté pour vos enfants et votre retraite.

Il est possible aujourd'hui de guérir le diabète. J'espère vous l'avoir montré clairement dans ce livre. Pour cela, il faut rejeter le traitement standard proposé par les associations de diabète et la communauté médicale qui, en se concentrant sur les symptômes, ne fait, au mieux, que ralentir la progression de la maladie. La guérison passe par une attaque frontale des causes du mal, c'est-à-dire l'affaiblissement du pancréas en raison de la présence de gras dans l'abdomen. En perdant suffisamment de poids, vous pourrez réactiver votre pancréas et vous engager sur la voie de la guérison.

N'attendez pas !

ANNEXE 1

Ressources en ligne

Sites des diverses associations de diabète

En français :

Diabète Québec : www.diabete.qc.ca

Association belge du diabète : www.diabete-abd.be

Fédération française des diabétiques : www.afd.asso.fr

Association suisse du diabète : www.diabetesgesellschaft.ch/fr

En anglais :

Diabetes Québec : www.diabete.qc.ca/en

Canadian Diabetes Association : www.diabetes.ca (eh oui, le site de cette association n'est qu'en anglais)

American Diabetes Association : www.diabetes.org

Diabetes UK : www.diabetes.org.uk

Diabetes Australia : www.diabetesaustralia.com.au

ANNEXE 2

Quelques recettes

Comment servir les légumes en accompagnement des substituts de repas

Si vous suivez la diète pseudo-chirurgicale en utilisant des substituts de repas à faible teneur en calories, vous devez consommer chaque jour environ 200 grammes de légumes pauvres en calories (idéalement des légumes verts non féculents). En voici quelques-uns : artichaut, asperge, aubergine, brocoli, céleri, choux de Bruxelles, chou-fleur, courgette, laitue (Boston, cresson, frisée, iceberg, roquette, etc.), champignon (de Paris, café, etc.), chou, concombre, épinard, fève verte (haricots), fève jaune, petits pois, poivron, radis, tomate.

Vous pouvez manger ces légumes crus, les faire griller ou les faire revenir à la poêle. Évitez d'ajouter de l'huile. Utilisez plutôt du vinaigre, des fines herbes, des épices et des condiments à faible teneur en calories pour leur donner du goût. Voici quelques exemples : jus de citron ou de lime, vinaigre (blanc, à l'estragon, de cidre, balsamique, de vin rouge, de vin blanc), moutarde, ail, oignon, sauce soya, cornichons, yaourt grec sans gras, basilic, estragon, thym, sauge, cari, cumin, sel, poivre.

Salade de tomate et de concombre

- Couper une petite tomate (120 g) et un demi-concombre en dés (120 g).

Ajouter

- 1 c. à thé de vinaigre blanc (ajuster au goût)
- ½ c. à thé d'origan séché
- Sel et poivre

40 calories

Chou-fleur grillé

- 200 g de chou-fleur
- 1 c. à thé d'huile d'olive
- 1 c. à thé de poudre de cari
- Sel et poivre

Préparation

- Préchauffer le four à 450 °F.
- Couper le chou-fleur en bouquets.
- Dans un bol, mélanger le chou-fleur, l'huile et le cari.
- Saler et poivrer.
- Tapisser une lèchefrite de papier parchemin et y déposer le mélange de chou-fleur.
- Cuire environ 25 minutes, jusqu'à ce que le chou-fleur soit grillé.

110 calories

Salade du chef

- 80 g de laitue
- 40 g de carotte râpée
- 40 g de concombre
- 40 g de tomate
- 40 g de champignons de Paris
- 2 c. à thé de vinaigre de vin
- ½ c. à thé d'herbes de Provence
- ½ c. à thé de moutarde de Dijon
- Sel et poivre

Préparation

- Couper les légumes en morceaux et les mélanger.
- Fouetter la vinaigrette, puis l'ajouter aux légumes.

60 calories

Brocoli sauté à la poêle

- 200 g de brocoli coupé en bouquets
- 1 c. à thé d'huile
- 1 c. à thé de sauce soya
- 1 gousse d'ail
- Poivre

Préparation

- Faire chauffer l'huile dans une poêle à feu moyen-fort.
- Faire sauter le brocoli. Lorsqu'il est un peu grillé, ajouter l'ail et faire revenir 1 minute.
- Ajouter la sauce soya, remuer et servir.

95 calories

Légumes grillés

- 50 g de poivron
- 50 g de courgette
- 50 g d'aubergine
- 50 g de champignons portobellos
- 1 c. à thé d'huile
- 1 c. à soupe de jus de citron
- 1 c. à thé d'origan séché
- 1 gousse d'ail

Préparation

- Couper l'aubergine en tranches épaisses, saupoudrer de gros sel et laisser reposer 15 minutes. Rincer et éponger les tranches.
- Couper le poivron en gros morceaux et les courgettes en longues tranches.
- Nettoyer les champignons et enlever le pied.
- Huiler légèrement la grille du barbecue et chauffer à feu vif.
- Déposer les légumes sur la grille, cuire 6 minutes (retourner après 3 minutes).
- Mélanger le jus de citron, l'origan et l'ail; les incorporer aux légumes.

80 calories

Salade de champignons

- 100 g de laitue
- 150 g de champignons
- 1 gousse d'ail
- 1 c. à thé d'huile

- 1 c. à soupe de persil
- Sel et poivre

Préparation

- Laver la laitue et la déposer dans une assiette.
- Laver et trancher les champignons.
- Dans une poêle, faire chauffer l'huile et suer l'ail.
- Ajouter les champignons, faire cuire 10 minutes, puis ajouter le persil.
- Saler et poivrer.
- Verser sur la laitue.

110 calories

Asperges à l'ail

- 200 g d'asperges parées
- 1 gousse d'ail
- 2 c. à soupe de yaourt grec sans gras
- Sel et poivre

Préparation

- Couper les asperges.
- Cuire à la vapeur de 5 à 10 minutes, au goût.
- Mélanger le yaourt, l'ail, le sel et le poivre.
- Ajouter aux asperges.

70 calories

ANNEXE 3

Idées de menus à moins de 200 calories

Comme toujours, les boissons doivent être prises sans sucre, avec un peu de lait si désiré : thé, café, eau, boissons gazeuses sans calories. Les portions de viande et de protéines sont de 100 grammes. On évite d'ajouter des corps gras.

Jour 1

Céréales riches en fibres
Lait
Demi-banane

Soupe aux lentilles
Pomme

Aiglefin à la sauge (au four)
Légumes (voir la liste)
Orange

Jour 2

Yaourt grec sans gras avec amandes grillées et quelques raisins secs

Hoummos et légumes crus
Framboises

Mijoté de bœuf (maigre) en sauce tomate
Légumes (voir la liste)
Fraises

Jour 3

Gruau aux petits fruits

Salade de mâche à la poire et au fromage bleu
Pomme

Cari de blanc de poulet et de légumes
Bleuets

Jour 4

Muffin au son d'avoine et aux bananes, sans sucre ni farine

Soupe miso au poulet
Abricot frais

Tofu et légumes grillés au barbecue, herbes de Provence
Framboises

Jour 5

Smoothie à l'orange et aux amandes

Omelette aux épinards (2 œufs moyens)
Bleuets

Crevettes en sauce rosée à base de tomate et de yaourt grec sans gras

Légumes (voir la liste)
Pêche fraîche

Jour 6

Petit pain de blé complet grillé
Œuf brouillé

Trempette de thon en boîte et de yaourt grec
Légumes crus

Poulet grillé, mariné au citron et à la sauce soya
Légumes (voir la liste)
Pastèque

Jour 7

Smoothie au pamplemousse, à l'orange et aux fraises

Fèves, tomates et poivrons grillés
Clémentine

Bœuf en lanières mijoté au yaourt grec sans gras, à l'ail et au consommé
Légumes (voir la liste)
Abricot frais

ANNEXE 4

Table de conversion de la glycémie

mmol/l	mg/dl	g/l	Seuils pour valeur à jeun
2,9	52	0,52	
3,0	54	0,54	
3,1	56	0,56	
3,2	58	0,58	
3,3	59	0,59	
3,4	61	0,61	
3,5	63	0,63	
3,6	65	0,65	
3,7	67	0,67	
3,8	68	0,68	
3,9	70	0,70	
4,0	72	0,72	
4,5	81	0,81	
5,0	90	0,90	
5,5	99	0,99	
6,0	108	1,08	
6,1	110	1,10	Prédiabète
6,5	117	1,17	
7,0	126	1,26	Diabète

7,5	135	1,35	
8,0	144	1,44	
8,5	153	1,53	
9,0	162	1,62	
9,5	171	1,71	
10,0	180	1,80	
10,5	189	1,89	
11,0	198	1,98	

Bibliographie

Accurso, A., R. K. Bernstein, A. Dahlqvist, B. Draznin, R. D. Feinman, E. J. Fine, A. Gleed, D. B. Jacobs, G. Larson, R. H. Lustig, A. H. Manninen, S. I. McFarlane, K. Morrison, J. V. Nielsen, U. Ravnskov, K. S. Roth, R. Silvestre, J. R. Sowers, R. Sundberg, J. S. Volek, E. C. Westman, R. J. Wood, J. Wortman et M. C. Vernon (2008). « Dietary carbohydrate restriction in type 2 diabetes mellitus and metabolic syndrome: Time for a critical appraisal », *Nutrition & Metabolism*, vol. 5, p. 9.

Agence de développement de réseaux locaux de services de santé et de services sociaux de la Montérégie (2005). *Le Continuum d'intervention « diabète »*, gouvernement du Québec.

Akter, K., E. A. Lanza, S. A. Martin, N. Myronyuk, M. Rua et R. B. Raffa (2011). « Diabetes mellitus and Alzheimer's disease: Shared pathology and treatment? », *British Journal of Clinical Pharmacology*, vol. 71, n° 3, p. 365-376.

Antoine, S.-L., D. Pieper, T. Mathes et M. Eikermann (2014). « Improving the adherence of type 2 diabetes mellitus patients with pharmacy care: A systematic review of randomized controlled trials », *BMC Endocrine Disorders*, vol. 14, p. 53.

Berg, A. H., et D. B. Sacks (2008). « Haemoglobin A_{1c} analysis in the management of patients with diabetes: From chaos to harmony », *Journal of Clinical Pathology*, vol. 61, n° 9, p. 983-987.

Berk, K., H. Buijks, B. Ozcan, A. van't Spijker et J. Busschbach (2012). « The prevention of weight regain in diabetes type 2 (POWER) study: The effectiveness of adding a combined psychological intervention to a very low calorie diet, design and pilot data of a randomized controlled trial », *BMC Public Health*, vol. 12, p. 1026.

Brunetti, A., E. Chiefari et D. Foti (2014). « Recent advances in the molecular genetics of type 2 diabetes mellitus », *World Journal of Diabetes*, vol. 5, nº 2, p. 128-140.

Cameron, C., D. Coyle, E. Ur et S. Klarenbach (2010). « Cost-effectiveness of self-monitoring of blood glucose in patients with type 2 diabetes mellitus managed without insulin », *CMAJ*, vol. 182, nº 1, p. 28-34.

Carter, P., L. J. Gray, J. Troughton, K. Khunti et M. J. Davies (2010). « Fruit and vegetable intake and incidence of type 2 diabetes mellitus: Systematic review and meta-analysis », *BMJ*, vol. 341, p. c4229.

Chao, C. Y., et G. L. Cheing (2009). « Microvascular dysfunction in diabetic foot disease and ulceration », *Diabetes/Metabolism Research and Reviews*, vol. 25, nº 7, p. 604-614.

Chon, S., Y. J. Lee, G. Fraterrigo, P. Pozzilli, M. C. Choi, M. K. Kwon, S. O. Chin, S. Y. Rhee, S. Oh, Y. S. Kim et J. T. Woo (2013). « Evaluation of glycemic variability in well-controlled type 2 diabetes mellitus », *Diabetes Technology & Therapeutics*, vol. 15, nº 6, p. 455-460.

Clarke, S. F., et J. R. Foster (2012). « A history of blood glucose meters and their role in self-monitoring of diabetes mellitus », *British Journal of Biomedical Science*, vol. 69, p. 83-93.

Colagiuri, S., C. A. Cull et R. R. Holman (2002). « Are lower fasting plasma glucose levels at diagnosis of type 2 diabetes associated with improved outcomes ? », *Diabetes Care*, vol. 25, p. 1410.

Côté, G. (2004). *Le Diabète en omnipratique.*

Danaei, G., M. M. Finucane, Y. Lu, G. M. Singh, M. J. Cowan, C. J. Paciorek, J. K. Lin, F. Farzadfar, Y.-H. Khang, G. A. Stevens, M. Rao, M. K. Ali, L. M. Riley, C. A. Robinson et M. Ezzati (2011). « National, regional, and global trends in fasting plasma glucose and diabetes prevalence since 1980: Systematic analysis of health examination surveys and epidemiological studies with 370 country-years and 2.7 million participants », *The Lancet*, vol. 378, nº 9785, p. 31-40.

Daniele, G., M. Abdul-Ghani et R. A. DeFronzo (2014). « What are the pharmacotherapy options for treating prediabetes ? », *Expert Opinion on Pharmacotherapy*, vol. 15, p. 2003.

Dardano, A., G. Penno, S. Del Prato et R. Miccoli (2014). « Optimal therapy of type 2 diabetes: A controversial challenge », *Aging*, nº 2014, p. 187.

Dashti, H. M., T. C. Mathew, M. Khadada, M. Al-Mousawi, H. Talib, S. K. Asfar, A. I. Behbahani et N. S. Al-Zaid (2007). « Beneficial effects of ketogenic diet in obese diabetic subjects », *Molecular and Cellular Biochemistry*, vol. 302, nºs 1-2, p. 249-256.

DeFronzo, R. A. (2009). « Banting Lecture. From the triumvirate to the ominous octet: A new paradigm for the treatment of type 2 diabetes mellitus », *Diabetes*, vol. 58, nº 4, p. 773-795.

Derosa, G., et S. A. T. Salvadeo (2007). « Pioglitazone and metformin fixed-dose combination in type 2 diabetes mellitus: An evidence-based review of its place in therapy », *Core Evidence*, vol. 2, p. 189.

Diabète Québec (2011). *Guide d'alimentation pour la personne diabétique*, Montréal, gouvernement du Québec.

Distiller, L. A. (2014). « Why do some patients with type 1 diabetes live so long? », *World Journal of Diabetes*, vol. 5, nº 3, p. 282-287.

Dixon, J., P. O'Brien, J. Playfair, L. Chapman, L. Schachter, S. Siinner, J. Proietto, M. Bailey et M. Anderson (2008). « Adjustable gastric banding and conventional therapy for type 2 diabetes: A randomized controlled trial », *JAMA*, vol. 299, p. 316-323.

Doughty, R. (2013). « Type 2 diabetes and the diet that cured me », *The Guardian*, 12 mai 2013, [www.theguardian.com/lifeandstyle/2013/may/12/type-2-diabetes-diet-cure].

Girard, J. (2005). « Glitazones et fonction pancréatique », *Annales d'endocrinologie*, vol. 66, p. S18.

Glauber, H., et E. Karnieli (2013). « Preventing type 2 diabetes mellitus: A call for personalized intervention », *The Permanente Journal*, vol. 17, nº 3, p. 74-79.

Gosh, S., *et al.* (2000). « The Finland–United States Investigation of Non-Insulin-Dependent Diabetes Mellitus Genetics (FUSION) Study. I. An autosomal genome scan for genes that predispose to type 2 diabetes », *The American Journal of Human Genetics*, vol. 67, p. 1174-1185.

Griffith, P. S., D. W. Birch, A. M. Sharma et S. Karmali (2012). « Managing complications associated with laparoscopic Roux-en-Y gastric bypass for morbid obesity », *Canadian Journal of Surgery*, vol. 55, nº 5, p. 329-336.

Group, T. D. P. P. R. (2005). « Role of insulin secretion and sensitivity in the evolution of type 2 diabetes in the Diabetes Prevention Program: Effects of lifestyle intervention and metformin », *Diabetes*, vol. 54, p. 2404-2414.

Grunberger, G. (2013). « The need for better insulin therapy », *Diabetes, Obesity and Metabolism*, vol. 15, p. 1.

Heianza, Y., Y. Arase, K. Fujihara, H. Tsuji, K. Saito, S. D. Hsieh, S. Kodama, H. Shimano, N. Yamada, S. Hara et H. Sone (2012). « Screening for pre-diabetes to predict future diabetes using various cut-off points for HbA(1c) and impaired fasting glucose: The Toranomon Hospital Health Management Center Study 4 (TOPICS 4) », *Diabetic Medicine*, vol. 29, n° 9, p. e279-285.

Holman, R. R., S. K. Paul, M. A. Bether, D. R. Mattheus et H. A. W. Neil (2008). « 10-year follow-up of intensive glucose control in type 2 diabetes », *New England Journal of Medicine*, vol. 359, p. 1577.

Holmer, H. K., L. A. Ogden, B. U. Burda et S. L. Norris (2013). « Quality of clinical practice guidelines for glycemic control in type 2 diabetes mellitus », *PLoS One*, vol. 8, n° 4, p. e58625.

Howard, B. V., L. Van Horn, J. Hsia *et al.* (2006). « Low-fat dietary pattern and risk of cardiovascular disease: The women's health initiative randomized controlled dietary modification trial », *JAMA*, vol. 295, n° 6, p. 655-666.

Kahn, S. E., M. E. Cooper et S. Del Prato (2014). « Pathophysiology and treatment of type 2 diabetes: Perspectives on the past, present, and future », *The Lancet*, vol. 383, n° 9922, p. 1068-1083.

Kahn, S. E., R. L. Hull et K. M. Utzschneider (2006). « Mechanisms linking obesity to insulin resistance and type 2 diabetes », *Nature*, vol. 444, n° 7121, p. 840-846.

Kaput, J., et K. Dawson (2007). « Complexity of type 2 diabetes mellitus data sets emerging from nutrigenomic research: A case for dimensionality reduction ? », *Mutation Research*, vol. 622, p. 19.

Kelley, D. E., R. Wing, C. Buonocore, J. Sturis, K. Polonsky et M. Fitzsimmons (1993). « Relative effects of calorie restriction and weight loss in non-insulin dependent diabetes mellitus », *The Journal of Clinical Endocrinology & Metabolism*, vol. 77, p. 1287-1283.

Klonoff, D. C., L. Blonde, G. Cembrowski, A. R. Chacra, G. Charpentier, S. Colagiuri, G. Dailey, R. A. Gabbay, L. Heinemann, D. Kerr,

A. Nicolucci, W. Polonsky, O. Schnell, R. Vigersky et J.-F. Yale (2011). « Consensus report: The current role of self-monitoring of blood glucose in non-insulin-treated type 2 diabetes », *Journal of Diabetes Science and Technology*, vol. 5, p. 1529.

Li, L., J. Shen, M. M. Bala, J. W. Busse, S. Ebrahim, P. O. Vandvik, L. P. Rios, G. Malaga, E. Wong, Z. Sohani, G. H. Guyatt et X. Sun (2014). « Incretin treatment and risk of pancreatitis in patients with type 2 diabetes mellitus: Systematic review and meta-analysis of randomised and non-randomised studies », *BMJ*, vol. 348, p. g2366.

Lim, E. L., K. G. Hollingsworth, B. S. Aribisala, M. J. Chen, J. C. Mathers et R. Taylor (2011). « Reversal of type 2 diabetes: Normalisation of beta cell function in association with decreased pancreas and liver triacylglycerol », *Diabetologia*, vol. 54, n° 10, p. 2506-2514.

Lindström, J., P. Ilanne-Parikka, M. Peltonen, S. Aunola, J. G. Eriksson, K. Hemiö, H. Hämäläinen, P. Härkönen, S. Keinänen-Kiukaanniemi, M. Laakso, A. Louheranta, M. Mannelin, M. Paturi, J. Sundvall, T. T. Valle, M. Uusitupa et J. Tuomilehto (2006). « Sustained reduction in the incidence of type 2 diabetes by lifestyle intervention: Follow-up of the Finnish Diabetes Prevention Study », *The Lancet*, vol. 368, n° 9548, p. 1673-1679.

Lindström, J., M. Peltonen, J. G. Eriksson, S. Aunola, H. Hämäläinen, P. Ilanne-Parikka, S. Keinänen-Kiukaanniemi, M. Uusitupa et J. Tuomilehto (2008). « Determinants for the effectiveness of lifestyle intervention in the Finnish Diabetes Prevention Study », *Diabetes Care*, vol. 31, p. 857.

Lindström, J., M. Peltonen, J. G. Eriksson, A. Louheranta, M. Fogelholm, M. Uusitupa et J. Tuomilehto (2006). « High-fibre, low-fat diet predicts long-term weight loss and decreased type 2 diabetes risk: The Finnish Diabetes Prevention Study », *Diabetologia*, vol. 49, n° 5, p. 912-920.

Lopez-Jaramillo, P., J. Lopez-Lopez, C. Lopez-Lopez et M. I. Rodriguez-Alvarez (2014). « The goal of blood pressure in the hypertensive patient with diabetes is defined: Now the challenge is go from recommendations to practice », *Diabetology & Metabolic Syndrome*, vol. 6, p. 31.

Maki, K. C., J. M. McKenney, M. V. Farmer, M. S. Reeves et M. R. Dicklin (2009). « Indices of insulin sensitivity and secretion from a standard liquid meal test in subjects with type 2 diabetes, impaired or normal fasting glucose », *Nutrition Journal*, vol. 8, p. 22.

Martin, S., B. Schneider, L. Heinemann, V. Lodwig, H.-J. Kurth, H. Kolb et W. A. Scherbaum (2006). « Self-monitoring of blood glucose in type 2 diabetes and long-term outcome: An epidemiological cohort study », *Diabetologia*, vol. 49, p. 271-278.

Mazzone, T., A. Chait et J. Plutzky (2008). « Cardiovascular disease risk in type 2 diabetes mellitus: Insights from mechanistic studies », *The Lancet*, vol. 371, n° 9626, p. 1800-1809.

McIntosh, B., C. Yu, A. Lal, K. Chekal, C. Cameron, S. R. Singh et M. Dahl (2010). « Efficacy of self-monitoring of blood glucose in patients with type 2 diabetes mellitus managed without insulin: A systematic review and meta-analysis », *Open Medicine*, vol. 4, p. E102.

Meusel, L. A., N. Kansal, E. Tchistiakova, W. Yuen, B. J. MacIntosh, C. E. Greenwood et N. D. Anderson (2014). « A systematic review of type 2 diabetes mellitus and hypertension in imaging studies of cognitive aging: Time to establish new norms », *Frontiers in Aging Neuroscience*, vol. 6, p. 148.

Moser, A., H. van der Bruggen, G. Widdershoven et C. Spreeuwenberg (2008). « Self-management of type 2 diabetes mellitus: A qualitative investigation from the perspective of participants in a nurse-led, shared-care programme in the Netherlands », *BMC Public Health*, vol. 8, p. 91.

Muller, J. E., D. Strater-Muller, H. J. Marks, M. Glasner, P. Kneppe, B. Clemens-Harmening et H. Menker (2011). « Carbohydrate restricted diet in conjunction with metformin and liraglutide is an effective treatment in patients with deteriorated type 2 diabetes mellitus: Proof-of-concept study », *Nutrition & Metabolism*, vol. 8, n° 1, p. 92.

Naude, C. E., A. Schoonees, M. Senekal, T. Young, P. Garner et J. Volmink (2014). « Low carbohydrate versus isoenergetic balanced diets for reducing weight and cardiovascular risk: A systematic review and meta-analysis », *PLoS One*, vol. 9, n° 7, p. e100652.

Niskanen, L., J. Karjalainen, O. Siitonen et M. Uusitupa (1994). « Metabolic evolution of type 2 diabetes: A 10-year follow-up from the time of diagnosis », *Journal of Internal Medicine*, vol. 236, p. 263-270.

Nyenwe, E. A., T. W. Jerkins, G. E. Umpierrez et A. E. Kitabchi (2011). « Management of type 2 diabetes: Evolving strategies for the treatment of patients with type 2 diabetes », *Metabolism*, vol. 60, nº 1, p. 1-23.

Olokoba, A. B., O. A. Obateru et L. B. Olokoba (2012). « Type 2 diabetes mellitus: A review of current trends », *Oman Medical Journal*, vol. 27, p. 269.

Orme, M., P. Fenici, I. Duprat Lomon, G. Wygant, R. Townsend et M. Roudaut (2014). « A systematic review and mixed-treatment comparison of dapagliflozin with existing anti-diabetes treatments for those with type 2 diabetes mellitus inadequately controlled by sulfonylurea monotherapy », *Diabetology & Metabolic Syndrome*, vol. 6, p. 673.

Petersen, A. M., et B. K. Pedersen (2005). « The anti-inflammatory effect of exercise », *Journal of Applied Physiology*, vol. 98, nº 4, p. 1154-1162.

Pimentel, G. D., J. C. Zemdegs, J. A. Theodoro et J. F. Mota (2009). « Does long-term coffee intake reduce type 2 diabetes mellitus risk ? », *Diabetology & Metabolic Syndrome*, vol. 1, nº 1, p. 6.

Polychronakos, C., et Q. Li (2011). « Understanding type 1 diabetes through genetics: Advances and prospects », *Nature Reviews Genetics*, vol. 12, nº 11, p. 781-792.

Pories, W. J. (2004). « Diabetes: The evolution of a new paradigm », *Annals of Surgery*, vol. 239, nº 1, p. 12-13.

Portero McLellan, K. C., K. Wyne, E. T. Villagomez et W. A. Hsueh (2014). « Therapeutic interventions to reduce the risk of progression from prediabetes to type 2 diabetes mellitus », *Journal of Therapeutics and Clinical Risk Management*, vol. 10, p. 173-188.

Proczko-Markuszewska, M., T. Stefaniak, L. Kaska, J. Kobiela et Z. Sledzinski (2012). « Impact of Roux-en-Y gastric bypass on regulation of diabetes type 2 in morbidly obese patients », *Surgical Endoscopy*, vol. 26, nº 8, p. 2202-2207.

Reiner, M., C. Niermann, D. Jekauc et A. Woll (2013). « Long-term health benefits of physical activity – A systematic review of longitudinal studies », *BMC Public Health*, vol. 13, p. 813.

Sacks, D. B., M. Arnold, G. L. Bakris, D. E. Bruns, A. R. Horvath, M. S. Kirkman, A. Lernmark, B. E. Metzger et D. M. Nathan (2011).

« Guidelines and recommendations for laboratory analysis in the diagnosis and management of diabetes mellitus », *Diabetes Care,* vol. 34, p. e61.

Saito, T., M. Watanabe, J. Nishida, T. Izumi, M. Omura, T. Takagi, R. Fukunaga, Y. Bandai, N. Tajima, Y. Nakamura et M. Ito (2011). « Lifestyle modification and prevention of type 2 diabetes in overweight Japanese with impaired fasting glucose levels », *Archives of Internal Medicine,* vol. 171, p. 1352.

Schwanstecher, C., et M. Schwanstecher (2011). *Targeting Type 2 Diabetes. Diabetes–Perspectives in Drug Therapy,* Berlin, Springer.

Schwanstecher, M., éd. (2004). *Diabetes–Perspectives in Drug Therapy,* Handbook of Experimental Pharmacology, Hedeilberg, Springer.

Scopinaro, N., F. Papadia, G. Marinari, G. Camerini et G. Adami (2007). « Long-term control of type 2 diabetes mellitus and the other major components of the metabolic syndrome after biliopancreatic diversion in patients with BMI < 35 kg/m^2 », *Obesity Surgery,* vol. 17, p. 185-192.

Ségurel, L., F. Austerlitz, B. Toupance, M. Gautier, J. L. Kelley, P. Pasquet, C. Lonjou, M. Georges, S. Voisin, C. Cruaud, A. Couloux, T. Hegay, A. Aldashev, R. Vitalis et E. Heyer (2013). « Positive selection of protective variants for type 2 diabetes from the Neolithic onward: A case study in Central Asia », *European Journal of Human Genetics,* vol. 10, p. 1146-1151.

Seino, Y., K. Nanjo, N. Tajima, T. Kadowaki, A. Kashiwagi, E. Araki, C. Ito, N. Inagaki, Y. Iwamoto, M. Kasuga, T. Hanafusa, M. Haneda et K. Ueki (2010). « Report of the committee on the classification and diagnostic criteria of diabetes mellitus », *Journal of Diabetes Investigation,* vol. 1, p. 212-228.

Sheehan, M. T. (2003). « Current therapeutic options in type 2 diabetes mellitus: A practical approach », *Clinical Medicine & Research,* vol. 1, p. 189.

Shyangdan, D. S., P. L. Royle, C. Clar, P. Sharma et N. R. Waugh (2010). « Glucagon-like peptide analogues for type 2 diabetes mellitus: Systematic review and meta-analysis », *BMC Endocrine Disorders,* vol. 10, p. 20.

Sonnichsen, A. C., H. Winkler, M. Flamm, S. Panisch, P. Kowatsch, G. Klima, B. Furthauer et R. Weitgasser (2010). « The effectiveness of the Austrian disease management programme for type 2 diabetes: A cluster-randomised controlled trial », *BMC Family Practice*, vol. 11, p. 86.

St. Onge, E. L., C. A. Motycka et S. A. Miller (2009). « A review of cardiovascular risks associated with medications used to treat type-2 diabetes mellitus », *P&T*, vol. 34, nº 7, p. 369.

Steinsbekk, A., L. O. Rygg, M. Lisulo, M. B. Rise et A. Fretheim (2012). « Group based diabetes self-management education compared to routine treatment for people with type 2 diabetes mellitus. A systematic review with meta-analysis », *BMC Health Services Research*, vol. 12, p. 213.

Stroh, M., R. H. Swerdlow et H. Zhu (2014). « Common defects of mitochondria and iron in neurodegeneration and diabetes (MIND): A paradigm worth exploring », *Biochemical Pharmacology*, vol. 88, nº 4, p. 573-583.

Suhre, K. (2014). « Metabolic profiling in diabetes », *Journal of Endocrinology*, vol. 221, nº 3, p. R75-85.

Tabák, A. G., C. Herder, W. Rathmann, E. J. Brunner et M. Kivimäki (2012). « Prediabetes: A high-risk state for diabetes development », *The Lancet*, vol. 379, nº 9833, p. 2279-2290.

Tabák, A. G., M. Jokela, T. N. Akbaraly, E. J. Brunner, M. Kivimäki et D. R. Witte (2009). « Trajectories of glycaemia, insulin sensitivity, and insulin secretion before diagnosis of type 2 diabetes: An analysis from the Whitehall II study », *The Lancet*, vol. 373, nº 9682, p. 2215-2221.

Taylor, R. (2013). « Banting Memorial lecture 2012: Reversing the twin cycles of type 2 diabetes », *Diabetic Medicine*, vol. 30, nº 3, p. 267-275.

Tham, C. J., N. Howes et C. W. Le Roux (2014). « The role of bariatric surgery in the treatment of diabetes », *Therapeutic Advances in Chronic Disease*, tome 5, p. 149-157.

Torquati, A., R. Lutfi, N. Abumrad et W. O. Richards (2005). « Is Roux-en-Y gastric bypass surgery the most effective treatment for type 2 diabetes mellitus in morbidly obese patients ? », *Journal of Gastrointestinal Surgery*, vol. 9, nº 8, p. 1112-1116 ; discussion p. 1117-1118.

Turner, R. C., C. A. Cull, V. Frighi et R. R. Hofmann (1999). « Glycemic control with diet, sulfonyluera, metformin or insulin in patients with type 2 diabetes mellitus », *JAMA*, vol. 1999, p. 2005.

Vaag, A., C. Brons, L. Gillberg, N. S. Hansen, L. Hjort, G. P. Arora, N. Thomas, C. Broholm, R. Ribel-Madsen et L. G. Grunnet (2014). « Genetic, non-genetic and epigenetic risk determinants in developmental programming of type 2 diabetes », *Acta Obstetricia et Gynecologica Scandinavica.*

Vlassara, H., et G. E. Striker (2011). « AGE restriction in diabetes mellitus: A paradigm shift », *Nature Reviews Endocrinology*, vol. 7, n° 9, p. 526-539.

Volek, J. S., et R. D. Feinman (2005). « Carbohydrate restriction improves the features of metabolic syndrome. Metabolic syndrome may be defined by the response to carbohydrate restriction », *Nutrition & Metabolism*, vol. 2, p. 31.

Wali, J. A., H. E. Thomas et A. P. Sutherland (2014). « Linking obesity with type 2 diabetes: The role of T-bet », *Journal of Diabetes, Metabolic Syndrome and Obesity*, vol. 7, p. 331-340.

Watanabe, R. M., *et al.* (2000). « The Finland–United States Investigation of Non-Insulin-Dependent Diabetes Mellitus Genetics (FUSION) Study. II. An autosomal genome scan for diabetes-related quantitative-trait loci », *American Journal of Human Genetics*, vol. 67, p. 1186-1200.

Weijers, R. N. M. (2012). « Lipid composition of cell membranes and its relevance in type 2 diabetes mellitus », *Current Diabetes Reviews*, vol. 8, p. 390.

Wing, R. R. (1995). « Use of very-low-calorie diets in the treatment of obese persons with non-insulin-dependent diabetes mellitus », *Journal of the American Dietetic Association*, vol. 95, n° 5, p. 569-572.

Table des matières

TROISIÈME PARTIE L'ÉCHEC PATENT DE LA PRÉVENTION ET DE LA GESTION DU DIABÈTE DE TYPE 2

QUATRIÈME PARTIE VAINCRE LE DIABÈTE DE TYPE 2, C'EST POSSIBLE !

Crédits et remerciements

Les Éditions du Boréal remercient le Fonds du livre du Canada (FLC).
Canada

Les Éditions du Boréal sont inscrites au Programme d'aide aux entreprises du livre et de l'édition spécialisée de la SODEC et bénéficient du Programme de crédit d'impôt pour l'édition de livres du gouvernement du Québec.
Québec

Illustration de la couverture : adaptée de maytree

Ce livre a été imprimé sur du papier 100 %
postconsommation, traité sans chlore, certifié ÉcoLogo
et fabriqué dans une usine fonctionnant au biogaz.

MISE EN PAGES ET TYPOGRAPHIE :
LES ÉDITIONS DU BORÉAL

CE DEUXIÈME TIRAGE A ÉTÉ ACHEVÉ D'IMPRIMER EN FÉVRIER 2016
SUR LES PRESSES DE MARQUIS IMPRIMEUR
À LOUISEVILLE (QUÉBEC).